KB195873

망가뜨린 것
모른 척한 것
바꿔야 할 것

망가뜨린 것
모른 척한 것
바꿔야 할 것

한국 사회의 변화를 갈망하는 당신에게

강인규 지음

오마이북

머리말

한국 사회, 그리고 당신에 관한 이야기

이 책은 한국 사회, 그리고 당신에 관한 이야기를 담고 있다. 미리 경고해두거니와 이 책은 암울하다. 우리가 삶의 터전으로 삼고 있는 사회가 몰락해가는 모습을 그리고 있기 때문이다. 그러나 이 책은 절망을 담고 있지는 않다. 바로 당신이 등장하기 때문이다.

2011년 5월, 나는 사회과학자로서 한국 사회의 몰락을 경고하는 글을 《오마이뉴스》에 기고했다. 사회안전망이 미비한 한국 사회에서 앞으로 범죄율이 크게 늘 것이며, 이는 본격적인 사회 붕괴의 신호탄이 될 것이라는 이야기였다. 불행히도 이 예상은 현실이 되었다. 불과 1년 만에 '묻지 마 범죄'로 길 걷기가 두려워진 사회에 살게 된 것이다.

나는 이런 경고로 시작한 이야기를 이 책을 통해 마저 하려고 한다. 한국의 경제, 사회, 문화, 교육에 어떤 일이 일어나고 있는지를 숨김없이 보여줄 생각이다. 하지만 이 책의 목적은 한국 사회가 어떻게 망가지고 있는지를 드러내는 데 있지 않다. 오히려 몰락하는 사회에 살고 있는 사람들이 무엇을 할 수 있는지에 대해 말하려고 한다.

생각해보라. 나라가 망해가는데 이를 극복할 방법이 없다면 글은 써서 무엇하나. 누굴 약 올릴 생각이 아니라면 말이다. 만일 출구 없는 종말론을 믿는다면 이불 뒤집어쓰고 드러눕는 게 가장 현명한 대처법일 것이다. 그런 면에서 이 책은 완전히 암울하지는 않다. 위기에 처한 한국의 현실을 돌아보고 희망의 씨앗을 찾으려는 것이기 때문이다.

선거 때가 되면 사람들은 변화의 희망에 들뜨곤 한다. 하지만 그 희망은 쉽게 절망으로 바뀐다. 원하는 사람이 당선되지 않아서가 아니라 당선된 사람이 원하는 변화를 가져오지 못하기 때문이다. 분명히 정치는 효과적인 사회 변화의 수단이고, 투표는 이 변화를 앞당기는 산파 역할을 하기도 한다. 하지만 정치가 모든 문제를 해결해 줄 수는 없으며, 몰락해가는 사회를 구할 수도 없다.

사회 변화는 몇 년에 한 번씩 돌아오는 대선이나 총선에 달려 있다기보다는 하루에도 개개인이 수백 번씩 반복하는 일상의 선택에 달려 있다. 예컨대 험한 도로를 달려 고층아파트 거실까지 음식을 날라주는 배달원에게 진심으로 감사한다든지, 생존권을 요구하는 목소리를 지지하지는 않더라도 그들이 무엇 때문에 고통받는지 이해하려고 노력하는 것처럼 말이다.

"한두 사람이 세상을 바꿀 수는 없다"고 말하는 이들이 있다. 거짓말이다. 사실은 "한두 사람이 세상을 바꿀 수는 없다"는 생각이 세상을 바꿀 수 없게 만든다. 사회는 개인의 집합체이기에 한두 명의 개인이 바뀌면 그 사회는 그 몫만큼 바뀌게 된다. 나 혼자만 바뀌어도 세상은 한 사람만큼 바뀌는 것이다. 게다가 사람은 관계망 속에 살고 있기에 나의 변화는 항상 주변의 변화를 몰고 온다.

한국 사회의 문제는 결코 가볍지 않으며, 쉽게 해결할 수 있는 것도 아니다. 하루아침에 해결할 수 없는 문제라면, 즐겁게 싸우고 끈기 있게 바꿔가는 게 중요하다. 그런 면에서 '사회의 몰락'이라는 우울한 이야기를 하는 동안에도 유머 감각을 잃지 않으려고 애썼다. 다행히 재치와 조롱은 항상 변화를 원하는 사람들 편이다.

글을 쓰고 강의를 준비하다 보면 찻집에서 많은 시간을 보내곤 한다. 2012년 여름, 한국의 아담한 찻집에서 원고 정리를 하면서 작은 실천을 하기로 결심했다. 가능하면 조금 더 비싸더라도, 조금 더 발품을 팔더라도, 조금 더 불편하더라도, 대기업에서 운영하는 체인 대신 개인이 운영하는 소규모 커피숍을 이용하기로 한 것이다. 흔히 대형 체인은 지역에서 번 돈을 지역에 풀지 않고 본사로 송금하는 '식민지' 방식으로 운영되며, 막대한 자금력을 동원해 다양한 맛과 개성을 지닌 소규모 찻집을 하나씩 삼켜간다.

처음에는 '편리함'을 이유로 대형 체인을 이용하지만, 결국에는 다른 선택 자체가 불가능한 상황이 되어버린다. 스스로 택한 '편리'가 자신을 더 큰 불편으로 몰아넣는 것이다. 《나는 스타벅스에서 불온한 상상을 한다》라는 책에서 나는 대형 커피숍 체인이 팔고 있는 것이 다름 아닌 '무관심의 안락함'이라고 썼다. 책을 읽든 컴퓨터를 쓰든, 몇 시간이건 간섭받지 않고 원하는 일을 할 수 있는 공간이라는 의미에서다.

나도 오랫동안 그 무관심을 즐겨왔지만, 이제는 무관심이라는 개인의 안락함을 버려야만 공동체 구성원 모두가 안락해질 수 있다는 사실을 깨닫게 되었다. 남과 관계를 엮어야만 그들의 고뇌에 귀 기울일 수 있고, 그런 불편을 감수해야만 작은 힘이라도 보탤 수 있다. 내가 남의 말에 귀를 기울이면 남도 나의 말에 귀를 기울일 것이고, 우리는 서로 배려하는 공동체 속에 살게 된다. 사람이 혼자서는 살 수 없듯, 홀로 행복해질 수도 없다.

내 선택이 옳았다는 사실을 깨닫는 데는 그리 오랜 시간이 걸리지 않았다. 처음에는 계속해서 빈 컵에 물을 채워주고 말을 걸어오는 관심이 부담스럽기도 했으나 곧 그 친절에 진심으로 감사할 수 있게 됐다. 나는 그곳에서 우정을 쌓는 가운데 "고객은 왕"이라는 말이 갖는 폭력성에 대한 글을 쓸 수 있었다. 내게 큰 깨달음을 준 '책 아저씨네' 가족에게 감사한다.

《오마이뉴스》와 보낸 10년은 내 생각과 삶을 바꾸는 계기가 되었다. 이곳의 모든 분들께 고마운 마음을 전한다. 특히 오연호 대표와 김미선 부장에게 감사 인사를 드리고 싶다. 번번이 마감일을 놓치는 게으른 필자를 웃음으로 인내해준 편집자 차경희 씨에게도 감사한다.

이 책을 변화를 바라는 모든 분들에게 바친다.

2012년 10월

강인규

●● 차례

프롤로그

우리가 함께 망가뜨린 것들

에둘러 말하지 않겠다. 한국 사회는 지금 몰락하고 있다. 이 사회는 감당하기 어려운 속도로 추락하고 있다.

우리 사회의 모습을 살펴보자. 어른, 아이 할 것 없이 한국인은 세계에서 가장 불행하다. 그저 불행하기만 한 것이 아니라 삶의 의욕조차 잃고 죽음을 택하는 이들이 가장 많은 나라가 한국이다. 그러니 출산율이 세계 최저인 건 당연하다. 제 목숨을 부지할 희망도 없는 사람들이 자식을 부지런히 낳아 기른다면 그것이 오히려 이상한 일이다.

"한국이 몰락한다"는 말은 더 이상 과장이나 수사적 표현이 아니다. 영국 옥스퍼드대학교 인구문제연구소의 데이비드 콜먼 교수는 한국이 지금의 출산율을 지속할 경우 인구 감소로 소멸하는 첫 번째 국가가 될 것으로 보고 있다. 설사 소멸을 피한다 치자. 절대다수를 불행하게 만드는 사회의 존속이 어떤 의미가 있을까?

한국 사회에 미래가 없다는 사실은 아이들을 보아도 알 수 있다. 2012년 연세대학교 사회발전연구소 조사가 보여주듯, 한국 어린이와 청소년들의 행복지수는 경제협력개발기구(OECD) 23개 국가 중 최하위다. 바로 위인 헝가리와도 100점 만점에 20점 이상 차이가 나는 '확실한 꼴찌'다. 한국은 벌써 4년째 이 바닥 자리를 지키고 있다.

한국 청소년들은 오래전부터 불행했다. 그리고 더 불행해지고 있다. 한국청소년정책연구원의 2006년 설문조사에서 "행복한가"라는 질문에 "매우 그렇다"고 답한 고교생의 비율은 고작 13.7%였다. 2011년 이 비율은 11.7%로 떨어졌다. 일본과 중국 고교생들의 3분의 1밖에 안 되는 수치다. 이 사회를 물려받을 청소년들 절대다수가 불행하다는 말이다. 이런 사회에 과연 미래가 있을까?

끔찍한 현재, 더 끔찍한 미래

최하위 행복지수에 최고의 자살률, 그리고 최저의 출산율. 끔찍한 사회가 아닐 수 없다. 하지만 이게 전부가 아니다. 또 하나의 재앙이 다가오고 있다. 바로 범죄다. 이미 2012년 9월 설문조사에서 10명 중 9명이 "나도 '묻지 마 범죄'의 피해자가 될 수 있다"고 답했다. 이처럼 치안 위기는 국민이 몸으로 느끼는 사회문제가 됐지만, 이후 범죄는 더욱 무서운 속도로 증가할 것이다. 범죄는 복지와 밀접한 관련이 있기 때문이다. 멜리사 베릭의 2002년 복지-범죄 상관관계 논문이 잘 보여주듯, 복지투자를 늘릴수록 강력범죄는 줄어드는 경향을 보인다.

한국의 복지지출은 OECD 최하위 수준으로, 복지 후진국인 미국보다도 한참 뒤진다. 게다가 한국은 OECD 국가 가운데 소득 양극화가 가장 빠르게 일어나는 곳이다. 몇 년간 주춤하던 범죄율이 다시 증가하는 것은 우연이 아니다. 벌써 서울의 범죄 건수가 하루 100건 이상 늘었고, 아동과 여성을 대상으로 한 납치나 성폭행은 전국적으로 두 배 이상 증가했다.

경제가 성장한다고 범죄가 해결되는 것은 아니다. 사회통계학적으로 범죄율과 밀접한 관련이 있는 것은 경제불평등과 복지투자 비율이다. 미국이 1인당 국민소득 4만 달러가 넘지만 세계 최악의 범죄국가가 된 이유가 여기에 있다. 한국 정부의 유일한 꿈인 '국민소득 4만 달러'가 만병통치약이 될 수는 없는 것이다.

한국은 아동과 가족 분야 복지지출 비중 또한 OECD 국가 가운데 꼴찌다(복지에 관해서 바닥을 지향하는 일관성 하나는 인정해줘야 할 것 같다). 가족과 아동을 위한 지출은 미래 빈곤층을 줄이고 사회를 안정시키는 선제투자의 성격을 갖는다. 복지는 일부 계층을 위한 '선심'이 아니라 사회 전체가 혜택을 입는 현명한 대비책인 셈이다.

우리가 '포퓰리즘'이니 '좌파정책'이니 하며 미루고 있는 복지투자는 이후 무장경찰을 늘리고, 감옥을 새로 짓고, 길에 널린 시신을 수습하는 비용으로 쓰게 될 것이다. 하굣길의 아이들을 지키고, 밤늦은 귀갓길을 살피고, 담장을 높이고, 사설 경호업체에 가입하는 비용은 개인이 별도로 지불해야 한다.

복지 무능의 실체

한국은 치안이 비교적 잘 유지되어온 나라였다. 흥미롭게도 외국 학자들은 한국의 낮은 범죄율을 '특이 현상'으로 다루곤 했다. 한국의 사회 조건을 보면 높은 범죄율을 예측할 수밖에 없기 때문이다.

한국은 유럽 같은 복지국가도 아니고, 일본처럼 기업 주도의 사내 복지가 보편화된 나라도 아니다. 일본은 사회복지투자가 유럽에 비해 낮지만(물론 한국보다는 높다), 사용자가 노동자의 삶을 책임져야 한다는 '우에토(ウエット=wet, '눈물 젖은'이라는 뜻)' 온정주의가 사적 복지 기능을 했다. 덕분에 어느 나라보다 소득 불균형 정도가 작았고, 안정된 치안을 유지할 수 있었다.

한국에는 공적·사적 복지 그 어느 것도 존재하지 않는다. 반면에 정부에 대한 신뢰와 공권력에 대한 존경심은 어느 나라보다 낮다. 이런 나라가 어떻게 치안을 유지할 수 있었을까? 프랜시스 후쿠야마는 한국 정부의 철권통치적 억압이 범죄를 억제했다고 분석한다. 하지만 정확한 이유는 다른 데 있다. 유례없는 경제성장과 독특한 가족제도 때문이다.

앞서 말했듯, 경제성장은 그 자체로 범죄를 막지 못한다. 그러나 1970년대에서 1990년대 중반까지 이어진 초고속 경제성장은 모든 사회 구성원이 쉽게 생산 활동에 참여할 수 있게 해주었다. 그리고 이로 인해 정부의 '복지 무능'에도 불구하고 극단적인 소득 양극화를 피할 수 있었다.

물론 정부와 기업 모두 그 대가를 치러야 했다. 가혹한 노동조건을 노동자 스스로 개선해야 했기에, 세계 어느 나라보다 전투적인 노동조합이 탄생한 것이다. 한국 정부는 입만 열면 '강성노조'를 탓하지만, 사실 한국의 노조는 무능한 정부와 비인간적인 기업 스스로가 만들어낸 것이다.

또한 한국의 가족은 사회 활동에 미처 참여하지 못한 구성원들을 보호하는 안전망 구실을 했다. 이것은 앞선 '산업화 세대'가 높은 교육을 받지 않아도 쉽게 일자리를 구할 수 있었기에 가능한 일이었다. 과거 경제성장의 원동력은 고도의 지식을 필요로 하지 않는 노동집약적 산업이었기 때문이다. 그러나 한국 사회를 힘겹게 지탱했던 고도성장과 가족이라는 두 보호막은 사라진 지 오래다.

이제 과거 형태의 고도성장은 불가능하며, 가족이 사회안전망 기능을 대신할 수도 없다. 산업화 세대의 가장은 은퇴했고, 제조업 중심의 산업구조는 재편되었으며, 경제성장은 고용과 재분배의 기능을 수행하지 못한다. 경제가 성장해도 고용은 늘지 않고 양극화가 확대되는 현상이 이 점을 입증한다. 자식은 부모 세대보다 훨씬 높은 교육을 받았어도 취직을 하지 못하며, 부모와 형제는 이들을 보살필 경제력을 잃은 지 오래다.

한국 사회는 이 상황의 심각성을 깨닫지 못하고 있다. 보수 정치세력이 말버릇처럼 이야기하던 "일자리가 최고의 복지"라는 주장은 그들이 복지에 대한 최소한의 이해나 지식도 갖고 있지 않음을 보여준다. 일자리가 복지인 것이 아니라 일자리를 갖지 못하는 사람을 보호하는 것이 복지이다.

한국 사회는 일할 의사와 능력이 있어도 자리를 찾지 못하는 사람들로 넘쳐난다. 정부는 이들을 위해 어떤 대안을 준비해뒀는가? 더 많이 고용하라고 기업들에 이따금씩 주문하는 것 말고 말이다. '최고의 복지' 라는 일자리는 고용주 재량에 맡기고, 여기서 소외된 사람들은 가족에게 떠넘기는 게 한국 정부의 일관된 복지정책이었다.

한국 정부는 가족이 있는 사람들에게는 얼마 되지도 않는 복지 혜택조차 잘 주지 않는다. 가족과 연락이 되든 말든, 부양 의지가 있든 없든 말이다. 정부가 깨달아야 할 것은 더 이상 복지 기능을 가족에게 떠넘길 수 없다는 사실이다. 앞서 말했듯, 가족은 이제 그럴 여력이 없다. 부모가 자식을 안고 건물에서 뛰어내리고, 자식이 경제적 도움을 주지 못하는 부모에게 흉기를 휘두르며, 병든 노부모가 자식에게 부담을 주기 싫어 죽음을 택하는 현실이 무엇을 말해주는가?

보호막 사라진 사회

신뢰의 부재 역시 한국 사회의 미래를 어둡게 한다. 세계가치조사(World Values Survey)에 따르면 한국의 신뢰도는 지난 30년 동안 지속적으로 하락했다. 1980년대만 해도 "남을 얼마나 믿는가" 라는 질문에 40% 가까이가 긍정적으로 답했으나, 2000년대에 들어서 이 수치는 20%대로 떨어졌다.

관련 연구를 보면, 사회적 신뢰는 '경쟁' 및 '부의 축적 방식' 과 밀접한 관련이 있다. "부의 획득이 타인의 희생에 근거한다" 고 믿는 사람이 많을수록 사회적 신뢰는 낮아지는 경향을 보인다. 한국인이 부자에게 적대감을 갖고 있다고 말하는 사람들도 있지만, "부자 되세요"가 덕담인 나라에서 어떻게 그런 일이 가능하겠는가? 문제는 부의 획득과 분배가 공정한 방식으로 이뤄지지 않는다는 점이다.

한국식 교육은 괴물 양산에 적합하다. 교실에서는 남을 밟고 올라서도록 가르치고, 집에서는 '기죽지 않게' 교육한다. 남은 존재하지 않거나 나를 가로막는 '장애물'일 뿐이다. 이기적이고 뻔뻔한 사람이 한국 교육의 이상인 셈이다. 이렇게 자라난 청소년들이 남을 배려하지 못하고 이웃과 조화롭게 어울려 살지 못하는 건 당연하다. 2011년 3월 발표된 국제교육협의회(IEA) 연구를 보면, 한국 학생들의 '사회적 상호작용 역량 지표'는 0.31점으로 35개 조사국 가운데 꼴찌였다. 관계지향성과 사회적 협력 부문의 점수는 아예 0점이었다.

이렇게 자란 청소년들이 혼자서라도 행복하다면 좋으련만, 행복지수는 OECD 국가 중 최하위다. 당연하다. 행복은 남들과의 관계에서 나오는 것이기 때문이다. 결국 한국 학교와 가정이 길러내는 것은 남의 행복을 파괴하면서 스스로도 불행한 사람이다. 고려대 성추행 사건의 가해자들이 '명문대 의대생'이라는 사실에 놀라는 사람들이 있지만, 한국식 경쟁을 '성공적으로' 체화한 사람들일수록 약자를 배려하기는 더 어렵다.

경쟁교육은 저출산을 불러와 사회 붕괴의 직접적 원인이 된다. 《조선일보》 2011년 1월 14일자 기사를 보면, 저출산의 이유로 20대 여성 47%가 "비용을 감당하기 어렵기 때문"이라고 말했고, 19%가 "아이를 고통스러운 세상에 살게 하고 싶지 않기 때문"이라고 답했다. 50대 여성에서 이 비율은 더 높아져 각각 53%와 20%에 달했다. '국가경쟁력' 이라는 명분으로 합리화해온 경쟁교육이 오히려 사회를 저출산·자살·불행의 늪으로 몰아넣고 있는 것이다.

한국식 경쟁교육은 미래 국가경쟁력에도 도움이 되지 않는다. 위키피디아·플리커·앱스토어·트위터·페이스북의 성공에서 보듯, 뉴미디어 시대에는 '나눔' 과 '배려' 가 새로운 경쟁력의 핵심으로 부상하기 때문이다. 교류를 통한 공동작업, 즉 '협업' 은 소셜미디어를 이끌어가는 원동력이기도 하다. 미국 뉴미디어 잡지 《와이어드》 2009년 6월호는 '신경제체제의 도래' 를 선언하면서, 신기술이 협력과 나눔을 기반으로 한 새로운 경제 모델을 만들어내고 있다고 보도했다. 2015년부터 국제학업성취도평가(PISA)에 '협업을 통한 문제해결 능력' 이 포함되는 것도 이런 추세를 반영한다.

내가 나누면 남도 나눌 것이고, 이렇게 해서 공동체는 번영하게 된다. 미래형 인재는 이처럼 돕고 나누며 함께 성장하는 '공동체형 인간' 이다. 서로 밟고 밟히는 곳에서는 누구도 행복할 수 없다. 결국 몰락하는 한국 사회를 구할 방법은 하나뿐이다. 남을 돕고 배려하는 사회를 만들기 위해 학교·정부·기업이 발 벗고 나서는 것이다.

학교는 협력과 배려를 가르쳐야 하고, 정부는 소외받는 사람들을 법과 제도로 보호하며, 기업은 이를 적극적으로 실행함으로써 사회에 진 빚을 갚아야 한다. 그러지 못하면 한국이 맞을 미래는 사회 붕괴뿐이다. 사회가 살아남아야만 기업도 운영할 수 있고 정치도 할 수 있다. 시민사회는 이들이 제 역할을 하도록 끊임없이 감시하고 채찍질해야 한다.

생각해보자. 왜 배우고 왜 돈을 버는가? 행복하고 사람답게 살고 싶기 때문이 아닌가? 한국의 위기가 주는 교훈은 다른 이들이 행복해야 당신도 행복해진다는 사실이다. 당신이 남을 배려하면 남도 당신을 배려한다. 이 좋은 걸 왜 마다하는가?

'이명박 이후'에 대한 준비

우리가 기억해야 할 점은 정치가 만병통치약이 아니라는 사실이다. 투표가 중요하기는 하지만 정치권력이 바뀐다고 해서 모든 문제가 해결되지는 않는다. 지금 우리를 괴롭히는 문제가 어디에서 왔으며, 이를 해결하기 위해 어떤 노력을 기울여야 하는지를 시민사회 차원에서 논의해야 한다. 정치권의 판단과 공약에 의지하기보다 우리의 판단을 제시하고 그것을 정책에 반영하도록 요구해야 한다. 그러지 않으면 어떤 정부가 들어서든 우리 사회가 겪는 고통은 사라지지 않을 것이다.

'이명박 이후'의 준비를 서둘러야 할 필요가 여기 있다. 집권세력이 물러나면 법적·도의적 책임을 낱낱이 물어야 하지만, 이것만으로 충분치 않다. 과거 권력의 죄를 묻는 것과 그들이 남긴 문제를 해결하는 것은 별개의 사안이기 때문이다. 한국 사회가 권력자의 수명보다 오래 살아남아야 한다면 말이다.

'이명박 이후'를 준비하는 것은 모든 문제를 지난 정부 탓으로 돌리는 것을 뜻하지 않는다. 물론 표현의 자유 억압이나 4대강 개발에 따른 자연 파괴처럼 이명박 정부가 새로 만들어낸 문제가 적지 않다. 하지만 대다수는 경쟁교육이나 약자에 대한 배려 부족, 기업의 사회적 책임 부재처럼 오래전부터 존재했던 문제들이다.

결국 우리가 해야 할 일은 이 문제점들을 해소할 방안을 고민함으로써 살 만한 사회를 만드는 것이다. 차기, 그리고 차차기에 어떤 정부가 들어서든 상관없다. 사실 정치는 더 나은 사회를 만들기 위한 수단 가운데 하나일 뿐이다. 지난 정부의 유산만이 아니다. 집권세력과 시민사회를 중재하지 못했던 한국의 언론, 그리고 탐욕과 무지로 인해 부도덕하고 무능한 세력에게 권력을 안긴 우리 자신까지 돌아보아야 한다.

이 책에서는 '정부가 망가뜨린 것'과 '우리 자신이 망가뜨린 것'에 대해 살펴보려고 한다. 아울러 우리가 희망을 가져야 할 이유도 살필 것이다.

1장

망가진 권력

국가는 시민의 하인이지 주인이 아니다.

존 F. 케네디
John F. Kennedy

몰상식한 정부가 망가뜨린 세 가지

막막하다. 무엇부터 시작해야 할까? 이명박 정부가 들어선 뒤 생겨났거나 악화된 문제가 한두 가지가 아니니 말이다. 차라리 잘한 일을 세는 편이 빠를 것 같다. 하지만 잘한 일이 도무지 떠오르지 않아 이마저도 여의치 않다.

혹자는 '친시장·친기업 정책' 만큼은 잘하지 않았느냐고 주장할지도 모르겠다. 하지만 이명박 정부는 기업인들 사이에서조차 조롱거리가 된 지 오래다. 삼성 이건희 회장의 2011년 '낙제점' 발언은 이명박 정부에 대한 재계의 평가를 잘 드러내준다. 비록 정부가 윽박질러 억지 사과를 받아내기는 했지만 말이다.

이건희 회장은 이명박 정부의 경제정책이 "낙제는 면했다"고 말했는데, 정부는 그의 입까지 틀어막음으로써 '낙제도 못 면할' 한심한 정부임을 스스로 입증했다. 기업인의 말까지 검열하면서 어떻게 자칭 '친기업 정부' 였는지 모르겠다. 어쨌든 두둑이 챙겨준다고 해서 모두가 존경받는 건 아니다. 하지만 퍼주고 욕까지 먹기도 쉬운 일이 아니니, 이것도 업적이라면 업적이겠다.

'친시장' 정책도 그렇다. '친 오세훈'이라는 뜻이었다면 모를까, 이명박 행정부만큼 반시장적인 정부도 없었다. 2011년 보궐선거를 앞두고 제조업체와 유통업체에 생필품 가격 인상을 자제하라는 압력을 넣은 사례를 보자. 국세청 세무조사까지 앞세웠으니 사실상 협박이었다. 업체들에 일일이 가격 인상 날짜를 정해줬다는 의혹까지 제기됐다. 이게 무슨 경제체제인지 모르지만 이렇게 해서 물가라도 잡히면 얼마나 좋겠는가. 결국 국민들에게 돌아온 건 선거 후 물가 폭등이었다.

그러면서도 틈만 나면 '민영화' 노래를 한다. 공기업은 물론 민간기업 사외이사직까지도 '낙하산'을 투하하면서 말이다. 자본주의와 사회주의를 통틀어 이렇게 허술한 관치경제를 시도한 정부도 드물 것이다. 여기서 이명박 정부가 망가뜨린 것의 실체가 드러난다. 바로 '상식'이다.

상식: 거품처럼 사라진 4대강의 미래

이명박 정부가 집권한 후 사회 곳곳에서 상식이 무너졌다. 이루 세기도 어려울 정도지만 '녹색성장' 하나만 먼저 보자. 강을 콘크리트로 막고 강바닥을 파내는 공사를 '친환경'이라 우기는 나라가 전 세계에서 한국 말고 또 있을까?

■

4대강 개발은 자연뿐 아니라 공동체도 파괴했다.
자연 상태의 강은 우리 모두의 재산이지만, 시멘트를 붓고 주위에 건물을 쌓아
이권을 개입시키는 순간 '우리'는 사라지고 '너'와 '나'의 이해관계가 된다.

ⓒ 권우성

기억력을 조금 더 발휘하면 더 기막힌 일도 떠오른다. 이명박 정부는 4대강 사업의 필요성을 주장하면서, 30만 개가 넘는 일자리 창출을 약속했다. 그 일자리는 어디 있는가? 강바닥에서 모래를 파내 충당한다던 8조 원은 어디로 사라졌는가?

수질을 감시한다던 '로봇물고기'는 어디 있는가? 다른 물고기의 정서를 배려해 대통령이 직접 제안했다는 '편대 유영 기술 개발'은 어디로 실종됐는가? 한국 언론에 따르면 이 모든 기술은 오래전에 개발됐어야 하는데 말이다. 다음 보도를 보자.

> 이 대통령은 지난달 초 관계수석실로부터 4대강 관련 보고를 받던 자리에서 로봇물고기 크기가 1미터가 넘는다는 설명을 듣고 "너무 커서 다른 물고기들이 놀란다. 크기를 줄여야 한다"고 말했다고 참모들이 전했다.
>
> 그러자 참모들은 "많은 첨단 복합기술이 들어가야 되기 때문에 크기를 줄이는 게 불가능하다"고 답했지만, 이 대통령은 "그러면 그 기능을 나눠서 여러 마리가 같이 다니게 하면 되지 않느냐"며 편대 유영 기술 개발을 제의했다는 후문이다.
>
> 이 말을 들은 참모들이 연구진과 협의한 결과, 실현 가능하다는 결론을 내리고 세계 최초의 '편대 유영' 기술 연구에 착수, 최근 개발을 완료한 것으로 전해졌다.
>
> 한 참모는 "크기를 줄여 여러 마리가 함께 다니도록 하라는 대통령의 말을 듣고 깜짝 놀랐다. 감각이 대단하다고 느꼈다"고 말했다.
>
> _《연합뉴스》, 2010. 6. 18.

이명박 대통령이 감각이 뛰어났던 건 사실이다. 순간의 위기를 모면하는 감각 말이다. '로봇물고기'는 텔레비전 토론에서 이명박 대통령이 수질오염에 대한 질문을 받고 즉석에서 꺼낸 이야기였다. 기술적 가능성이나 재정에 대한 검토가 없었음은 물론이다. 이렇게 태어난 로봇물고기는 30만 개의 일자리와 편대를 이뤄 국민들의 기억 저편으로 사라졌다.

설사 로봇물고기가 다른 물고기들의 환대 속에서 4대강을 누빈다고 하자. 그리고 로봇물고기가 오염 상황을 파악했다고 치자. 이제 어떻게 할 것인가? 로봇물고기 눈에서 광선이라도 나와 오염물질을 제거하는가? 강의 수질을 되살리는 작업은 수영장에서 뜰채로 나뭇잎을 건져내는 것처럼 간단한 일이 아니다. 강의 오염은 장기적이고 누적적인 결과이기 때문이다. 오염된 강을 원래 상태로 되돌릴 수 없다면, 로봇물고기가 아니라 로봇고래가 돌아다녀도 소용이 없다는 말이다.

물론 국민들이 로봇물고기를 보게 될 일은 없을 것이다. 아직 태어나지도 않은 채로 임무를 완수했기 때문이다. 반대 의견을 일시적으로 차단하는 임무 말이다. 이명박 대통령은 '정치인'이라는 말을 혐오했지만, 그만큼 정치인 자질이 넘치는 사람도 드물었다. 그가 생각하던 부정적인 의미에서 말이다.

한반도 대운하와 4대강 사업에 대한 터무니없는 주장 가운데 결정판은 "선박을 운영하면 수질이 좋아진다"는 말이었을 것이다. 배가 돌아다니며 산소를 공급하기 때문에 물이 맑아진다는 것이었다. 더 놀라운 것은 학자들까지 나서서 이런 몰상식한 주장을 옹호했다는 점이다.

나는 '스크루 수질 개선론'이 사실이길 바랐다. 어린 시절 목욕탕에서 물장구치지 말라는 꾸중을 자주 들었던 사람으로서 말이다(난 그저 욕탕의 수질을 개선하고 있었을 뿐인데). 하지만 이게 사실이라면 보 쌓고 강바닥 파는 일은 더욱 하지 말아야 했다.

4대강 사업이 완료되기 전, 로이터통신은 환경단체보고서를 인용해 이 대규모 토목공사가 조류 50종 이상을 멸종위기로 몰고 갈 것이라고 보도했다. 기껏 하루에 서너 차례 오갈 배가 물을 정화한다고 주장하면서, 강에 떼로 상주하며 시도 때도 없이 물갈퀴를 젓는 새들은 왜 내쫓았단 말인가. 연료도 들지 않고 기름 오염 우려도 없는 '친환경 스크루'를 말이다.

4대강 사업은 전 세계 환경·생태 전문가들의 우려를 무시한 채 강행되었다. 그리고 '완공 기념식'은 했으나 완공되지는 않았다. 지금도 땜질공사와 추가 준설작업을 계속하고 있고 앞으로도 계속할 것이므로, 공사가 마무리될 일은 없을 것이다. 독일의 하천 전문가 한스 베른하르트 교수는 2011년 5월 유엔환경계획(UNEP) 슈타이너 사무총장에게 장문의 편지를 보냈다. 4대강 사업이 생태를 보존한다는 한국 정부 주장은 아무런 학술적 근거도 없으며, 공사를 강행하면 상상하기 어려울 만큼 끔찍한 결과를 보게 될 거라는 경고였다.

베른하르트 교수는 편지를 사적인 주장으로 치부하지 말아달라고 당부했다. 수많은 전문가 동료 및 환경단체와 조율해 도달한 결론이었기 때문이다. 하천 복원은 강을 자유롭게 흐르도록 만드는 것이지 보로 막아 변형시키는 것일 수 없다는 것이다. 이게 상식이다. 이런 상식적 목소리를 한국에서는 왜 그리 듣기 어려웠는가. 그 결과 4대강은 녹조로 뒤덮인 죽음의 강이 되었다.

방법은 하나뿐이다. 몰상식한 발언과 결정에 책임을 지게 만드는 것이다. 정치인이든 관료든 교수든 말이다. 쉽게 잊는 국민이 무책임한 정부를 만드는 법이다. 경제학자 존 케네스 갤브레이스도 말하지 않았던가. 정치인들에게 건망증보다 고마운 게 없다고.

여기서 기억해야 할 점은, 몰상식에 대한 책임을 묻는 것과 몰상식이 낳은 문제를 해결하는 것은 별개의 사안이라는 사실이다. 어차피 도로 뜯어내야 할 어리석은 공사다. 왜 막대한 돈을 더 들이고 더 큰 재난의 고통을 당한 후까지 기다려야 하는가.

공동체: '내 것'과 '네 것'을 찢어놓는 위험한 갈등

궁금해하는 사람들이 많을 것이다. 이명박을 포함한 보수 정치세력이 언제부터 그토록 열성적인 환경주의자였는지 말이다. 그것도 강만 살릴 수 있다면 온 국토를 다 파헤쳐도 좋다는 급진론자가 아닌가. '지구해방전선(Earth Liberation Front)' 같은 환경테러단체가 무색할 지경이다.

첫 단추부터 잘못 끼워졌다. 서울이라는 비인간적인 공간에 생겨난 청계천은 사람들에게 숨 쉴 자리를 마련해주었다. 생각한 바를 집요하게 밀어붙이는 이명박 대통령(당시 서울시장)의 성향 탓에 이 작업을 신속하고 효율적으로 해낸 것도 사실이다. 청계천 복원이 이명박 시장이 생각해낸 것도 아니고, 복원 과정과 결과가 가장 생태적인 방식은 아니었을지라도 말이다.

가시적인 성과를 잘 경험하지 못했던 시민들은 이 '불도저'를 환영했다. 그러나 이 '행복한 결과'는 큰 불행의 시작이었다. 그러잖아도 남의 말을 잘 듣지 않는 이명박 대통령에게 '청계천 신화'는 바람직하지 못한 학습효과를 불어넣었다. "반대를 무릅쓰고라도 저질러 놓으면 좋아하는 게 국민들"이라는 그릇된 신념을 강화해준 것이다.

대운하를 주장하던 시절부터 수송과 물류는 사업의 핵심이 아니었다. 4대강 사업의 핵심이 생태와 환경이 아니듯 말이다. 대운하를 통해 선박이 서울-부산 구간을 운행하는 데 70시간이 걸린다는 점을 들어 비효율적이라고 지적하자, 이명박 대통령은 "관광이 주목적"이라고 말을 바꾸지 않았던가. 대운하와 4대강 사업의 공통분모를 파악하면 이명박 대통령이 노리던 게 무엇인지 알 수 있다. 바로 '개발' 그 자체다.

이 점은 베른하르트 교수가 슈타이너 사무총장에게 보낸 편지에서도 드러난다. 그는 4대강 사업이 "하천공학과 하천생태계 측면에서 볼 때 지극히 무책임한 사업으로, 건설업계에 대한 대규모 지원책에 불과하다"고 썼다. '한반도 대운하'든 '강 살리기'든, 땅을 파고 시멘트를 부은 순간 대통령이 원한 바는 달성된 것이다.

배가 다니느냐 안 다니느냐, 수질이 개선되느냐 마느냐는 부차적 문제였다. 강둑 위에 도로를 만들고 주변에 건물을 쌓아 이권을 개입시키기만 하면 된다. 결국 4대강 살리기가 살리려던 것은 자연이 아니라 사적 이해관계였다. 4대강 개발은 공동체 소유의 자연을 '민영화'하는 작업인 셈이다.

4대강 사업 이후, 하나의 이름으로 불렸던 강은 지역별 이해관계로 쪼개질 것이다. 실제로 사업을 둘러싸고 지역 간에 무수히 많은 갈등이 불거졌다. 그리고 이후에 어떤 부작용이 나타나든 본래의 자연으로 되돌리기는 쉽지 않을 것이다. 개입된 이권과 이를 둘러싼 지역갈등이 복원을 차단하는 족쇄가 될 것이기 때문이다.

자연이 죽든 옆의 도시가 황폐화되든 상관없다. 자신이 투자했는데 어떤 바보가 이 '사유재산' 을 자연으로 되돌리려 하겠는가. 이처럼 경제적 이해관계는 공동체의 가장 큰 적이다. 사적 이해관계는 '나' 의 것이지만 공동체의 자산은 '우리 모두' 의 것이기 때문이다. 4대강 사업은 우리가 공유한 것을 '내 것' 과 '네 것' 으로 찢어놓는 작업이다.

이명박 정부는 공동체를 파괴함으로써 자신의 목적을 달성했다는 점에서 사악하다. 뉴타운, 4대강, 세종시, 과학벨트, 동남신공항 등에서 보듯, 이권을 놓고 지역 간에 싸움을 붙이는 것이 이명박 정부의 일관된 정책이었다. '이명박 이후' 를 준비할 때 우리가 고민해야 할 점은 이처럼 황폐화된 공동체를 어떻게 되살릴 것인가이다.

삶과 꿈: 1%의 주머니를 채우는 국민의 고통

이명박 정부가 헛된 고집만 부리지 않았어도 지금 살아 숨 쉬고 있을 사람이 얼마나 많을까? 4대강 공사장에서 목숨을 잃은 노동자들, 사회안전망 없는 나라에서 위태롭게 살다 목숨을 끊은 부모들,

일제고사에 시달리다 몸을 던진 청소년들. 삶과 꿈의 파괴는 이명박 정부가 저지른 가장 큰 과오다.

민주화 이후 국민들을 가장 불행하게 만들고 나서도, 세금을 국민들의 삶을 보호하는 데 쓰기는커녕 강바닥과 건설사 주머니에 쏟아부었다. 물고기 놀라는 것까지 걱정하던 자상한 대통령이 국민들의 삶은 왜 이리 고통스럽게 만들었는가. 물론 그의 '배려'와 상관없이 4대강에서는 물고기들이 배를 뒤집은 채 떠오르고 있지만 말이다.

국민들은 몰상식한 정부를 만들어내는 어리석은 짓을 저질렀다. 이제 두 번째 어리석은 선택이 기다리고 있다. 그것은 변화를 거부함으로써 그 몰상식을 지속하는 것이다.

한미 FTA, 잘 모르거나 거짓말을 하거나

우연치고는 기괴했다. 2011년 말 한나라당(현 새누리당)이 한미자유무역협정(한미 FTA) 비준안을 날치기 처리하던 순간, 나는 미국 남부 앨라배마 주에 있었다. 그것도 현대자동차가 현지 공장을 운영하는 몽고메리 시에.

내가 탄 차는 '현대대로(Hyundai Blvd)'를 지나쳐 갔다. 그 표지판을 바라보며 마음이 뒤숭숭했다. 한국 기업 이름이 미국 도시의 도로명이 되었다는 사실에 자부심을 느낄 사람도 있을 것이다. 하지만 뿌듯함만을 느끼기에는 문제가 너무 복잡하다.

현대자동차 몽고메리 공장은 연간 30만 대를 생산하는 대규모 시설이다. 현대자동차는 초기 생산설비 투자에만 11억 달러 이상을 들였고, 주정부는 이 반가운 투자자를 위해 흔쾌히 4차선의 '현대대로'를 닦아주었다. 고용이 늘고 방문자가 많아지면서 호텔과 식당 등도 생겨났다. 현대자동차가 이곳에 직간접적으로 제공한 일자리는 수만 개에 달한다.

생산량이 늘면서 현지 부품공장도 하나둘 들어섰다. 현대모비스는 앨라배마, 오하이오, 조지아 세 주에 대규모의 첨단 모듈공장을 건설했다. 현대자동차는 현지 공장을 추가로 건설해 미국 현지생산 비율을 80%까지 높일 계획이다.

한국에서 만들어 수출하던 몫을 이제 현지에서 생산하는 것이다. 현대자동차는 소나타, 엘란트라, 산타페의 생산라인을 한국에서 미국으로 옮긴 상태다. 현대자동차가 중국, 인도, 체코 등 해외 공장에서 생산하는 자동차는 이미 국내생산량을 넘어섰다.

이제 한국 기업의 해외 판매가 늘어도 한국에서의 고용은 늘지 않는다. 오히려 있던 일자리마저 해외로 사라지고 있다. 그리고 앞으로 더 많은 일자리를 잃게 될 것이다.

구직자의 지옥, 고용주의 천국

물론 업체는 수송과 물류비용을 줄이기 위해 불가피한 선택이라고 말한다. 하지만 꼭 그 이유만은 아니다. 싼 임금, 덜 까다로운 고용조건, 느슨한 환경기준이 훨씬 매력적인 동기가 된다. 한국에서 사라진 일자리는 다른 나라로 가지만, 그 일자리도 언제 다른 곳으로 옮겨 갈지 알 수 없는 운명이 된다. 떠나는 곳도, 도착하는 곳도 고용불안을 피할 수 없게 되는 것이다.

2012년 한진중공업 사태가 이 점을 잘 보여준다. 1997년 외환위기 이후 처우가 열악한 비정규직을 남발하던 한진중공업은 조선소를 필리핀으로 옮기기로 결정했고, 이 과정에서 한국 노동자를 대량 해고했다. 하지만 이렇게 옮겨 간 필리핀 수비크 조선소에서도 불법 해고, 인권유린, 열악한 노동환경은 고스란히 되풀이되고 있다.

한진중공업의 수비크 조선소에서는 2007년 이래 각종 산재사고로 30여 명이 목숨을 잃었다. 이곳 노동자들은 생존권과 노동권 보장을 요구하며 시위를 벌이고 있다. 하지만 더 비극적인 것은 이 일자리마저 언제 어디로 사라질지 모른다는 점이다. '조건이 덜 까다로운 곳' 을 찾아서 말이다.

일자리를 지키고 싶다면 방법은 하나뿐이다. 싼 임금을 더 싸게, 이미 유연한 고용조건을 더 유연하게, 느슨한 환경기준을 더 느슨하게 풀어주는 것이다. 현대자동차와 기아자동차가 공장을 건설한 곳의 실업률이 모두 평균을 넘어서는 데다 저임금 지역이라는 점에 주목할 필요가 있다.

그렇다고 기업들이 해외로 떠나는 이유가 한국의 '강성노조' 때문은 아니다. 노조 없는 삼성도 액정표시장치(LCD) 공장을 중국에 짓고 있으며, 국내 설비의 상당 부분을 중국으로 옮길 계획이니 말이다. 최첨단 낸드플래시(NAND Flash) 반도체도 2013년부터 중국에서 생산한다. 2003년 하이닉스가 중국에 반도체공장을 짓기로 했을 때, 삼성은 "기술유출 우려가 있다"며 반발했다. 이런 삼성조차 생산기지를 해외로 옮겨 가는 것이다.

물론 기업은 옮기지 않고도 옮긴 효과를 누릴 수 있다. 옮긴다고 협박해서 원하는 것을 얻어내면 되기 때문이다. 하지만 떠나기로 마음먹으면 막을 재주는 없다. 고용주의, 고용주에 의한, 고용주를 위한 시대가 열린 것이다.

하지만 회사가 인력을 줄이고 저임금 지역으로 옮겨 가는 것은 불가피한 일도, 현명한 일도 아니다. 변호사 토머스 게이건이 그의 책 《미국에서 태어난 게 잘못이야》에서 잘 보여주었듯, '경쟁력'을 구실로 직원을 해고하고, 임금을 줄이고, 더 싼 임금을 찾아 공장을 옮긴 기업들은 결국 살아남지 못했다. 제조업체가 임금이 싼 곳으로 공장을 이전할 때 가장 먼저 나타나는 현상이 품질 저하다. 기업주의 헛된 탐욕이 노동자뿐 아니라 결국 기업까지 파멸시키는 것이다.

'국익'이 아닌 '계층'의 문제

자유무역협정(FTA)으로 인해 나라가 거덜 나는 일은 없을 것이다. 그럼 FTA가 아무런 영향을 끼치지 못한단 말인가? 그렇지는 않다. FTA는 한국 사회에 돌이키기 어려운 변화를 몰고 올 것이다. 그러나 망하거나 쪽박을 차는 건 나라가 아니라 특정 계층의 국민들이다.

여기서 피해야 할 함정이 있다. '국익'이라는 말이다. 이 말로 FTA를 합리화하려는 사람이 있다면 둘 중 하나다. 자유무역에 대해 잘 모르고 있거나 거짓말을 하고 있거나.

FTA는 '경제통합(economic integration)'을 목적으로 한다. 두 나라가 관세와 비관세적 장벽을 철폐함으로써 단일 경제권을 이루는 것이다. 그렇다면 적어도 경제적 측면에서 '나라'나 '국익'을 이야기하는 건 무의미할 수밖에 없다. 중요한 건 어느 계층이 이익을 얻고 어느 계층이 타격을 입는가이다.

한미 FTA는 두 나라의 부자들은 더 큰 부자로 만들고, 중산층과 서민의 삶은 더욱 피폐하게 만들 것이다. 이 사실은 북미자유무역협정(NAFTA)을 보아도 알 수 있다. 미국 경제정책연구소(EPI) 보고서는 NAFTA가 미국과 멕시코 두 나라의 양극화를 심화시켰다고 분석한다.

> 1994년 1월 1일 북미자유무역협정이 체결된 이후 캐나다, 멕시코, 미국 정부는 "협정은 완벽한 성공이었다"며 매년 자랑했다. (…) 물론 일부 사람들에게는 대성공이었을 것이다. 값싼 노동력을 찾아 자본을 투자하기를 원했던 세 나라의 투자자들과 금융업자들에게는 말이다. (…) 그러나 투자자들의 이익이 철저히 보호받은 반면, 서민 노동자들의 근무 환경 및 권리는 전혀 보호받지 못했으며, 복지를 위한 사회투자 역시 타격을 입었다.
>
> _로버트 스콧, 《경제정책연구소 보고서(*EPI Briefing Paper*)》, 2011. 5. 3.

한미 FTA의 발효로 공공부문이 파괴되는 것은 불가피해졌다. 이런 우려는 벌써 현실로 드러나고 있다. 예컨대 미국 자동차업계는 FTA를 빌미로 한국의 자동차 안전기준과 연비·배출가스 기준을 대폭 완화하라는 압력을 넣었고, 정부는 협정이 발효되기도 전에 이 요구를 받아들였다. 국가가 안전과 환경기준을 정한 이유는 국민의 생명과 터전을 지키기 위해서다. 하지만 정부는 업계의 이익을 지켜

■

한미 FTA 발효 이후 한국 사회는 미국과 한국의 나쁜 점만 모아놓은 곳이 될 것이다. 공공서비스도 타인에 대한 배려도 없는 사회다.

© 유성호

주기 위해 국민과 환경을 희생시키는 결정을 내렸다.

약육강식의 정글사회

뉴욕과 시카고의 지하철을 타본 사람이라면 역에서 풍기는 분뇨 냄새를 맡아보았을 것이다. 나는 지하철 안에서 차체가 기우는 방향대로 줄을 그으며 사방으로 퍼져가는 노란 액체를 보기도 했다. 이는 미국인들이 특별히 배설 욕구가 강해서가 아니다. 미국 사회는 대중교통만 빈약한 게 아니라 공중화장실 같은 공공서비스마저도 빈약하기 때문이다.

그럼에도 불구하고 미국 사회가 유지되어온 것은 사회 전체에 민주적 절차와 더불어 민간부문에서나마 약자에 대한 배려가 정착되어 있기 때문이다. 빌 게이츠가 "재산의 절반을 사회로 돌리자"고 제안하고, 워런 버핏이 "내 세금을 올려달라"고 요구하는 걸 보라. 공화당 같은 보수정당이 장애인에 대한 차별을 금지하는 장애인보호법(ADA)을 마련한 것도 이런 환경 때문이었다.

한국은 어떤가. 정치권은 1500억 원에 달하는 주식을 기부하겠다는 안철수를 향해 '정치적 계산'이라며 냉소했고(본인들은 정치를 직업으로 하면서 왜 '정치적 계산'을 하지 못하는 것일까), 대기업은 '이익공유제'를 논하는 동반성장위원회 본회의에 대표 9명을 모두 불참시켰다. 이 기업인들의 모임인 전국경제인연합회(전경련)는 이명박 정부 초기에 이미 '장애인차별금지법 반대'와 '직장 내 성희롱 처벌 완화' 를 건의한 바 있다.

이런 한국이 그나마 유지되어온 것은 비교적 잘 조직화된 공공서비스 때문이었다. 비록 완전하지는 않지만 국민건강보험공단, 우정사업본부, 한국전력, 한국철도공사 등 공기업은 국민들의 삶을 일정 수준으로 유지해주었다. 공기업의 목적은 이윤 추구가 아니라 국민들의 삶에 핵심적인 기초 서비스를 제공하는 것이기 때문이다.

한 사람 사는 집에 전기를 놓아주고, 한 가족 사는 마을에 편지를 배달하는 일은 이익 극대화가 존재 목적인 사기업이 할 수 없는 일이다. 하지만 공기업의 흑자폭이 '성공적 경영' 의 잣대가 되고 민영화가 '선진화' 로 포장되면서 서민들의 삶은 흔들리기 시작했다. 한국의 공공서비스는 사기업이 가장 눈독을 들이는 부분이다. 휴대폰은 값이 비싸면 안 사면 되지만, 수도와 전기는 아무리 값이 올라도 안 쓸 수 없기 때문이다.

삶과 직결된 만큼 기초 서비스는 막대한 수익이 보장된 영역이다. 물론 이 이윤은 서민들의 땀과 눈물이 밴 돈을 털어서 나온다. '묻지도 따지지도 않는' 서비스는 오직 공공영역에서만 가능하다.

정부는 한미 FTA가 발효되면 관세 폐지로 수출이 증가한다고 말한다. 어리석은 주장이다. 앞서 설명했듯, FTA의 유일한 수혜자가 될 국내 제조업은 현지생산 체제로 바뀌고 있다. 오히려 관세 철폐로 수입이 늘고, 관세 수입은 줄어 복지재원 마련이 어려워지며, 국민들의 세 부담률만 높아질 것이다.

한미 FTA 발효 후 한국은 미국과 한국의 나쁜 점만을 모아놓은 사회가 될 것이다. 공공부문이 빠진 한국, 또는 약자 배려가 사라진 미국을 상상하면 된다. 이미 한국은 약육강식의 정글사회로서 부족함이 없긴 하지만 말이다.

공공서비스, 사회안전망의 파괴

세계화의 부작용은 한미 FTA 이전부터 우리를 괴롭혀왔다. 하지만 FTA가 심각한 이유는 이 과정을 가속화하고 영속화하기 때문이다. 이제 기업들의 탐욕에서 국민을 지킬 수 있는 건 정부뿐이다. 하지만 한국 정부는 FTA를 강행함으로써 스스로 이 역할을 포기했다.

한미 FTA가 발효되기 직전, 판사들은 이 협정이 한국의 사법권을 침해할 수 있다며 우려했다. 그러자 정부는 "협상 내용을 잘 이해하지 못한 데서 비롯한 오해"라고 항변했다. 자신들이 법에 대해 더 잘 안다는 주장인데, 정작 협상 당국은 본인들이 무슨 협상을 했는지도 모르고 있었다. 시민검증단이 FTA 원문과 번역본을 대조한 결과 2500개 이상의 오류를 찾아냈으니 말이다.

외교통상부의 무지와 무능은 여기서 그치지 않는다. 통상교섭본부장이었던 김종훈은 투자자-국가소송제(ISD)가 "한국 기업의 이익을 지키기 위해 꼭 필요하기에 폐기할 수 없다"고 주장했다. 협상본부장이란 사람이 이 문제에 대해 기본적 이해도 갖고 있지 못했던 것이다. 김종훈의 말대로 이 제도는 한국 기업에게 불리하게 작용하지 않을 것이다. 오히려 국내 기업이 해외 투자를 통해 수익을 올리는 데 기여할 것이다. 그런데 왜 반대하느냐고? 이 제도가 위협하는 것은 한국 기업이 아니라 국민들이기 때문이다.

외국 기업이 한국의 공공서비스를 파괴하면서 수익을 올릴 때, 한국 기업은 상대국의 공공서비스를 황폐화시킬 것이다. 이런 제도에서 한국 기업과 외국 기업은 공모관계가 된다. 서민과 중소기업을 희생시켜 부자와 대기업을 살찌우는 제도인 것이다. FTA가 '국익'의 문제가 아니라 '계층'의 문제임을 분명히 보여주는 예가 투자자-국가소송제다.

투자자-국가소송제는 정부의 개입, 즉 국가의 시장조절 기능과 공공서비스를 무력화하기 위해 만들어진 제도다. 이 제도에 따르면 하루아침에 급조된 외국 기업도 한국 정부와 맞먹는 법적 권한을 갖는다. 만일 정부가 서민이나 중소기업을 보호하기 위해 조치를 취했을 때, 이것이 기업의 이익을 침해했다고 판단하면 국가를 상대로 소송을 제기할 수 있는 것이다. 그것도 실제 발생한 손실만이 아니라 '기대이익의 손실'에 대한 배상까지 요구할 수 있게 된다.

미국 경제정책연구소 보고서에 따르면, NAFTA 발효 이후 기업이 정부를 상대로 제기한 소송은 미 대륙에서만 88건 이상으로, 배상액은 총 3억 2700만 달러에 달한다. 한국 정부는 투자자-국가소송제가 공공정책을 훼손하지 않는다고 주장한다. 하지만 보고서는 이 제도가 천연자원, 환경, 국민보건과 의료 등에 관한 정부의 공공정책에 큰 타격을 입혔음을 보여준다. 그 결과 기업의 탐욕으로부터 공익을 지키기 위해 존재하는 정부 기능 자체가 심각하게 위축되었다.

본래 멕시코는 국민의료보험과 농지보호제도 등 광범위한 사회안전망을 갖추고 있었다. 그러나 NAFTA는 양국의 관세를 철폐하는 선에서 끝나지 않았다. 자유무역협정은 멕시코(그리고 캐나다)에 발전국가의 핵심요소까지 제거하도록 요구했으며, 사회안전망의 광범위한 부분을 축소하거나 민영화하도록 압력을 넣었다. 국가 금융제도도 무사하지 못했다.

_로버트 스콧, 《경제정책연구소 보고서》

한국 협상 당국은 "정부 조치가 투명하고 정당하며 비차별적인 경우에는 정부의 피소 가능성은 사실상 전무하다"고 주장한다. 바로 그게 문제다. 피소가 두려워 공공정책 자체를 기피하게 만드는 '겁주기 효과'가 NAFTA 발효 이후 드러난 투자자-국가소송제의 심각한 폐해이기 때문이다.

한국은 현재 심각한 위기를 겪고 있다. 세계 최고의 자살률과 최저의 출산율, 날로 증가하는 범죄는 이 사회의 존립 자체를 위협하고 있다. 국민들은 턱없이 부족한 복지 혜택 속에서 맨몸 하나로 버텨왔으나 이제 한계에 도달한 상태다. 복지를 대폭 늘려도 위기를 벗어나기 어려운 상황에서 FTA는 그나마 있던 안전망마저 거둬 갈 것이다.

한국인은 세계에서 가장 많은 시간을 일하지만, 그들이 받는 복지 혜택은 OECD 국가 중 최하위다. 국민에게 가장 많이 빼앗기만 하고 베풀지 않는 나라가 한국인 것이다. 이젠 나라가 국민에게 무엇을 해줄지 물을 때가 왔다. 그리고 이건 그 알량한 '국가'가 존속할 수 있는 유일한 방법이기도 하다. 정부가 국민을 지킬 능력도 의사도 없다면 우리에게 남은 희망은 하나뿐이다. 우리 스스로 생존권을 지키는 것이다. 그게 진정한 국익이다. '나'의 집합이 사회라는 점을 되새겨본다면, 내가 살아남는 것만큼 중요한 '국익'이 어디 있겠는가.

하지만 혼자서는 할 수 없다. 협력의 공동체가 중요한 이유가 여기에 있다. 정치세력의 입장에서는 한데 힘과 목소리를 모으는 국민만큼 두려운 게 없다. 경쟁논리는 공동체를 파괴해 국민을 쉽게 길들이기 위해 권력이 고안한 장치다. 나 이외의 타인들을 적으로 돌려 싸우게 만들어야 사람들이 뭉치는 걸 막을 수 있기 때문이다. 하지만 이제는 내가 살기 위해서라도 나 이외의 사람을 생각해야 한다. '나'는 '우리' 속에서만 존속할 수 있다.

국가안보를 위협하는 국가보안법

무식하면 용감하다고 한다. 그러나 '용감함'이란 위험에 대한 분명한 인식을 전제로 한다. 냉철히 파악된 위험에도 불구하고 자신이 옳다는 신념의 무게가 더 크다고 여겨 이를 실천할 때 용감하다고 한다. 뭘 모르고 덤비는 사람들의 무식은 그냥 무식일 뿐이다.

내가 그랬다. 1994년 당시 나는 학교를 막 마친 풋내기 사회인이었다. 부끄러운 고백이지만, 나는 학교에 있는 동안 특별한 사회의식을 갖추지 못했다. 시국 문제나 학내 분규로 들끓던 시대에 입학했지만, 여기에 개입하기보다는 적당히 학점을 따서 졸업하는 쪽을 선택했다.

정치에 관심도 없었거니와 남북문제에 대해서는 더더욱 그랬다. 북한에 대한 이해와 지식의 토대라곤 고등학교까지는 반공교육이었고 그 이후에는 신문과 방송이었다. 대부분의 한국인이 그렇듯 말이다.

1994년 봄, 나는 여느 때처럼 즐겁게 잘 살고 있었다. 친구와 칼국숫집에서 점심을 먹고 있는데 텔레비전 뉴스 속보가 흘러나왔다. 북한 관리가 등장해 "전쟁 나면 서울은 불바다가 된다"고 목소리를 높이고 있었다. "쟤들 왜 또 저래?" 나는 이렇게 말하며 계속 국수를 먹었다.

이후 미국이 영변 핵시설을 공격할지 모른다는 소문을 들었을 때에도 별로 걱정하지 않았다. 오히려 괜찮은 생각인 것 같았다. 걸프전 당시 언론을 통해 알려진 '스마트 폭탄' 같은 것으로 '정밀 폭격(surgical attack)'을 가해 필요한 시설만 깔끔하게 파괴하면 될 일 아닌가. 그러다가 전면전으로 번지거나 북한이 남쪽으로 보복 미사일 공격을 해오면? 설마, 우방인 미국이 남한이 쑥대밭이 되도록 내버려두겠어? 그럴 위험이 없으니 공격을 하겠다는 거겠지. 그해 봄은 이렇게 평온하게 지나고 있었다.

당시 상황이 어떠했는지를 깨닫게 된 건 10년도 더 지나서였다. 그것도 한국이 아닌 미국에서 말이다. 내가 몸담고 있던 대학의 동아시아센터에서 남북문제를 미디어와 관련해 강의해달라는 제의를 받은 것이다.

어떤 분야를 가장 잘 알게 되는 방법 중 하나는 해당 주제에 대해 강의를 하는 것이다. 여름방학 내내 수업 준비를 하면서 나는 아주 끔찍한 사실을 알게 되었다. 시시덕거리며 밥을 먹던 1994년 봄에 내가 죽을 고비를 넘고 있었다는 사실이었다. 과장이 아니다. 운이 조금만 나빴어도 나와 이 글을 읽고 있는 많은 독자들이 이 자리에 존재하지 않을지도 모른다.

1994년 6월, 미 클린턴 행정부는 영변의 핵시설을 폭격하기로 하고 시뮬레이션까지 마친 상태였다. 미국은 '정밀 폭격'이 한반도에 어떤 끔찍한 결과를 가져올지도 예측하고 있었다. 한국에서 근무하던 미국 관리와 가족들에게는 소환 지시가 내려졌다. 그들의 안전을 보장할 수 없기 때문이었다. "1994년의 절반을 한반도 전쟁을 준비하며 보냈다"고 고백한 미국 관리의 말을 들어보자.

> 영변 핵시설을 '정밀 폭격'하는 것이 가능하다 할지라도, 이 폭격이 확전을 불러올 건 뻔한 일이다. 북한 시설을 공격하면 북한은 돌발 공격을 감행해 올 것이다. 남북을 가르는 비무장지대 너머에는 최신 장비를 갖추지는 못했지만 냉혹한 훈련을 받은 대규모 북한군이 주둔해 있다.
>
> _ 애시튼 카터 · 윌리엄 페리, 〈다시 벼랑으로〉, 《워싱턴포스트》, 2002. 10. 20.

북한의 대응공격으로 발생할 사상자와 난민 수는 수백만 명으로 예측됐다.

> 미 정부는 (북한 시설 공격으로 전쟁이 일어날 때) 미군과 한국군이 북한의 서울 진입을 막아낼 능력이 있다고 믿었다. 그러나 그 방어의 대가는 만만치 않을 것이다. 수천 명의 미군과 수만 명의 한국군이 전사할 것이고, 수백만의 난민 행렬이 고속도로를 메울 것이다. 북한의 피해

는 더욱 막대할 것이다. 한국전쟁 이래로 역사상 가장 치열한 전쟁이 될 것이다.

_ 애시튼 카터 · 윌리엄 페리, 〈다시 벼랑으로〉, 《워싱턴포스트》, 2002. 10. 20.

이런 엄청난 남한의 피해 상황을 예측하고도 미국은 북폭을 결정한다. 그 이유는 간단했다. "미국 정부의 최대 관심사는 (남한의 안보가 아니라) 미국의 안보이기 때문"이다. 오랫동안 국방부의 고문을 지낸 리처드 펄은 미국의 공영방송 PBS에 출연해 당시의 상황을 전했다. 그는 럼즈펠드와 더불어 부시 행정부의 '테러와의 전쟁'을 선두에서 이끈 주역 가운데 하나다. 그는 "부시 행정부가 화해에 중점을 둔 남한의 대북정책에 협력하지 않은 이유가 무엇인가"라는 질문을 받자 다음과 같이 말했다.

"남한 사람들의 이해관계는 우리나라의 이해관계와 다르다. 물론 (남한이 미국과 북한 문제에 다르게 접근하는 것이) 이해는 된다. 서울은 북한으로부터 치명적인 피해를 입을 공격권 안에 있기 때문이다. 따라서 북한 문제에 대해 남한이 미국과 다른 견해를 갖는 건 당연하다. 그러나 미국 부시 대통령의 가장 큰 관심사는 단연 미국의 안보였다."

미국의 북한 전문가인 셀리그 해리슨은 이런 미국의 태도를 미국의 '냉전적 사고방식(Cold War mindset)'으로 설명한다. 미국인들의 사고방식은 냉전시대에 고정되어 있어 화해의 시대가 왔다는 사실을 받아들이지 못한다는 것이다. 공화당 소속으로 한때 주한 미 대사를 지내기도 했던 도널드 그레그는 "미국 정부는 북한에 대해서 어떤 정책도 가져본 적이 없다"고 말한다. 미국은 북한에 대해 정책 대신 '적대감'이라는 '태도'만을 지녀왔다는 것이다.

정치학 교수 브루스 커밍스는 《북한 : 또 하나의 나라(*North Korea: Another Country*)》에서 "미국의 북한에 대한 인식은 액수가 적히지 않은 '백지수표'와 같다"고 말한다. 그리고 미국인들은 거기에 어떤 액수가 쓰이든 모두 '액면가'로 받아들인다. 그 내용이 부정적인 이야기라면 말이다. 물론 상황은 남한에서도 크게 다르지 않다.

물론 미국이 북한에 대해 지닌 적대감이 단순한 감정 차원의 것만은 아니다. 캘리포니아대학교 버클리 캠퍼스 정치학과 학과장이었던 차머스 존슨은 "미국이 동아시아에서 가장 두려워하는 것은 그곳에 평화가 오는 것"이라고 주장한다. 물론 미국이 '악마'가 아닌 이상 전쟁을 즐거워할 리는 없다. 그렇다면 무엇 때문에 미국은 동아시아의 평화를 두려워하는 것일까? 한반도에 평화가 오면 국방부 예산이 대폭 삭감된다는 것이 미국 시사지 《더 프로그레시브(*The Progressive*)》의 분석이다.

오랫동안 북한은 미국의 꿈을 실현시켜주는 존재였다. 북한이 터무니없는 미국의 국방예산을 합리화하는 '협박꾼' 역할을 완벽히 수행했기 때문이다. 사실 북한은 아주 작고 가난하고 기술적으로 낙후된 나라지만, 미국을 위협할 수 있는 세력으로 과장되었다. 그 과정이 얼마나 교활했는지, 이 약소국을 핑계로 미 국방부는 지난 15년간 전구미사일 방어체제 구축을 위해 쏟아부은 600억 달러의 돈을 합리화할 수 있었다.

_빌 메슬러, 〈왜 미 국방부는 한국의 평화를 혐오하는가〉,
《더 프로그레시브》, 2000년 9월호

메슬러에 따르면, 2000년 남북정상회담 당시 미 행정부는 김대중 대통령의 방북회담을 승인하지도 않았고 또 달가워하지도 않았는데, 그 이유는 미국이 체계적으로 건설해온 북한의 '악당'으로서의 이미지가 훼손될 것이 두려워서였다는 것이다. 비록 의례적인 축전을 마지못해 보내기는 했지만, 전 세계가 그 경이로운 사건에 대해서 환호할 때 미 행정부는 속을 태우고 있었다.

증오와 무지에 가려진 북한

위기의 발단은 1980년대로 거슬러 올라간다. 에너지 부족에 시달리던 북한이 천연우라늄 원료에 흑연으로 핵반응을 조절하는 마그녹스(Magnox) 원자로를 가진 발전소를 영변에 가동하기 시작한 것이다. 천연우라늄과 흑연 모두 북한 땅에서 쉽게 구할 수 있는 자원이었다.

북한의 입장에서는 흔한 자원을 이용한 발전 방식이었지만, 미국이 보기에는 대단히 위험한 시도였다. 천연우라늄을 원료로 한 원자력발전소에서는 핵무기의 재료인 플루토늄이 부산물로 생산되기 때문이다. 기묘하게도, 대다수의 군사시설을 지하에 건설해온 북한이 유독 원자로와 플루토늄 재처리시설로 보이는 건축물은 지상에 건

설하기 시작했다.

물론 북한은 미국의 정찰위성이 영변의 시설을 24시간 감시하고 있다는 사실을 잘 알고 있었다. 그리고 이때부터 미국과 북한의 숨바꼭질이 시작되었다. 핵확산금지조약(NPT)에 가입해 있던 북한은 의무적 사찰을 받는 가운데도, 몇 군데 의심스러운 시설에 대해서는 '군사시설'이라고 말하며 사찰을 거부했다. 그 '의심스러운 시설'은 미국 정보기관이 정찰위성으로 찍어 국제원자력기구(IAEA)에 제공한 것이었다.

북한은 국제원자력기구가 '미국의 지시에 따라서' 북한 군사시설을 사찰하려 한다고 주장했다. 편파적인 사찰단을 받아들이면 자국 안보가 위협을 받기 때문에 수용할 수 없다는 것이었다. 만일 군사시설을 조사해야 한다면 남한 내의 미군 시설 역시 사찰에 포함시켜야 한다고 맞섰다.

그러자 클린턴 행정부는 한동안 중단되었던 팀스피리트 훈련(한국과 미국의 합동 군사 훈련)을 재개하겠다고 발표했다. 이에 맞서 북한은 핵확산금지조약을 탈퇴하겠다고 협박했다. 북한은 팀스피리트 훈련을 자신들에 대한 핵위협의 일부로 간주했기 때문이다.

실제로 훈련 과정에는 핵공격의 시나리오 및 군 장비들이 동원되었으며, 개전 한 시간 이내에 핵공격을 감행한다는 작전(H+1)은 미국이 북한에 대해 채택한 기본 전략의 하나이기도 했다. 미국은 북한의 핵확산금지조약 탈퇴에 맞서 영변의 핵발전소를 폭격하기로 결정한다.

이런 상황에서도 한국 정치권과 언론은 변함없이 '전쟁 불사'를 외치고 있었다. 아이러니하게도 한반도를 전쟁의 포연에서 구해낸 것은 미국의 전직 정치인과 언론이었다. 한창 위기가 고조되고 있을 때, 카터 전 대통령과 케이블 뉴스 CNN 방송팀이 북한을 방문해 김일성과 만난 것이다.

두 사람이 환하게 웃으며 악수하는 모습이 전 세계 텔레비전에 방송되자, 미국 정부로서는 북한 공격의 명분을 잃게 되었다. 두 사람의 만남은 대화로 상황이 해결될 수 있음을 보여주었기 때문이다. 당시 상황을 가까이서 지켜보았던 언론인 출신의 돈 오버도퍼 존스홉킨스대 교수는 《두 개의 코리아(*The Two Koreas*)》에 이렇게 썼다.

> 이를 지켜보던 미국의 관리들은 카터의 행위가 "반역행위나 다름없다"며 분개했다. 또 다른 관리는 미국이 경제·군사제재에 "방아쇠를 당기려는 순간" 북한이 지연작전을 쓰려는 게 아니냐며 우려했다. 클린턴 대통령과 고어 부통령은 속으로는 무슨 생각을 하고 있었는지 모르나 결국 이렇게 천명하기에 이른다. 카터 대통령 때리기에 나서기보다는 생산적인 방식으로 대처하는 게 중요하다고 말이다.
>
> _돈 오버도퍼, 《두 개의 코리아》, 331쪽

"모르는 게 약"이라고 했던가. 나라의 운명이 왔다 갔다 하는 순간에 나는 국수 가락을 입에 넣으며 행복해하고 있었다. 안타까운 것은 아직까지도 주위에서 이 위험한 '무지의 만용'을 발견한다는 사실이다. 다른 나라도 아닌 자기 나라 땅에서 '전쟁 불사'를 외치는 사람들에게서 말이다. 더욱 안타까운 것은 이들이 국가를 다스린다

■

국가보안법은 북한에 대한 논의 자체를 차단함으로써
국민이 합리적 판단을 하지 못하게 한다.
국가보안법이 오히려 국가안보를 위협하는 것이다.

ⓒ 권우성

는 정치인이며 여론을 이끈다는 언론인이라는 점이다.

이들은 "전쟁을 결심해야 전쟁을 피할 수 있다"고 주장한다. 이게 무슨 말일까? 사고를 결심해야 사고를 피할 수 있고, 파산을 결심해야 파산을 막을 수 있다는 말인가? 현재 한국 사회가 어쩌다 이 지경이 되었는지를 말해주는 통치철학이 아닐 수 없다. 내가 아는 바로는 전쟁은 피하려고 해야 피할 수 있다. 증오만으로는 충분치 않다. 북한을 제대로 알아야 한다.

'사상의 공개시장'을 왜 거부하는가

1994년, 한국인들은 자신의 의사와 무관하게 결정된 전쟁의 위기 속에서 아무것도 모른 채, 따라서 아무런 걱정 없이 잘 지냈다. 오히려 몇 년 후 북폭 보도를 접한 한국인 가운데는 무릎을 치며 당시의 폭격 보류를 안타깝게 여기는 이도 있었다. 오늘도 우리는 미국의 뜻을 따르는 게 한국의 이익과 안녕을 지키는 길이라고 주장하는 신문을 펴놓고 아침을 먹는다. 사실 선택의 여지도 없다. 그렇지 않다고 말하면 국가보안법이 노려보기 때문이다.

국가보안법은 북한을 오직 '사악함'의 영역에서만 파악할 것을 요구한다. 예컨대 북한이 남한보다 문자 습득률이 더 높고, 성차별 폐지를 더 빨리 입법화했으며, 1970년대 후반까지 남한보다 높거나 비슷한 경제성장 및 국민소득을 누렸다는 미국 중앙정보국(CIA)의 보고서를 인용하는 것까지 '찬양' 및 '고무'에 해당하는 범죄행위가 될 수 있는 것이다. 그런 면에서 국가보안법은 합리적이고 다양한 의견 개진을 불가능하게 함으로써 오히려 국가의 안보를 위협한다.

북한 사회가 많은 모순과 문제점을 안고 있다는 것은 누구나 아는 사실이다. 그러나 북한에 대한 객관적인 이해를 거부함으로써 우리가 얻는 것은 증오와 무지 속에서 다가오는 위기뿐이다. 1994년의 위기는 남한과 다른 '이해관계'에 따라서 언제든지 일어날 수 있는 현재진행형의 상태다. 북한 사회에 대한 균형 잡힌 시각은 다양한 견해 속에서 비판적이고 합리적인 판단 과정을 거쳐 얻어지는 것이지, 국민의 입을 막고 생각을 감시한다고 해서 얻어지는 게 아니다.

'시장경제'를 그토록 신봉하는 사람들이 '사상의 공개시장'을 거부하고 국민들의 생각을 중앙 통제해야 한다고 주장하는 이유가 무엇인지 알기 어렵다. 우리의 체제가 말 한마디로 붕괴될 수 있다고 믿는다면, 그것이야말로 체제를 믿지 못하는 '반체제적' 사고가 아닐까.

'따뜻한 보수'의 이중성

가끔 당연한 것들이 신기해 보일 때가 있다. 오염되지 않은 자연이 그리운 분들이 있을 것이다. 만일 멀리 떠날 여유가 없다면 '정유'나 '화학'이라는 이름이 붙은 회사의 홈페이지를 찾아가면 된다. 비록 사진으로나마 눈부시게 푸른 하늘과 풀 내음 가득한 초원을 감상할 수 있다. 개인적 경험으로 볼 때 기업 홈페이지의 '자연 신선도'는 해당 산업의 '자연 훼손도'에 정비례하는 것 같다.

이 흥미로운 모순은 당사자들의 강박관념을 보여준다. 진정으로 친환경적인 기업이라면 '친환경' 홍보에 열을 올릴 필요가 없다. 정부도 마찬가지다. 진정으로 서민을 배려하는 정부라면 '친서민 행보'를 따로 기획할 필요도, '친서민 이미지 구축'에 열을 올릴 필요도 없다.

이명박 대통령은 집권 후 '따뜻한 보수'를 선언했다. 어떤 홍보 담당의 작품인지 모르나, 이 표어는 미 공화당이 오래전부터 써먹던 것이다. 미국 역사상 가장 인기 없던 대통령인 조지 부시가 표방한 것이 '따뜻한 보수(compassionate conservatives)' 였다. 다른 표현으로는 '인간의 얼굴을 한 보수' 와 '피 흐르는 심장을 가진 보수' 가 있다.

이 표어들은 무엇을 말해줄까? 보수 스스로도 자신들이 대체로 '냉혈' 이며, '얼굴' 과 '심장' 에 문제가 있음을 알고 있는 것이다. 비록 부시가 꽃피우기는 했으나, '따뜻한 보수' 의 원조를 찾자면 역시 레이건 대통령이다. 레이건이 죽었을 때 보수언론이 그를 일컬어 "보수세력에 인간의 얼굴을 가져다준 이"로 평했으니 말이다.

"알잖아, 우리가 친서민일 수 없다는 거"

'따뜻한 보수' 란 부유층 위주의 정책을 펼치되 얼굴 표정만 바꾸겠다는 것이다. 정책을 서민 위주로 바꾸는 순간 더 이상 보수가 아니니 말이다. '따뜻한 보수' 의 뜻을 가장 잘 풀이한 사람은 클린턴 전 미국 대통령일 것이다. 그는 부시 행정부의 '따뜻한 보수론' 을 이렇게 평한 바 있다.

"따뜻한 보수. 듣기는 좋은 말이지요. 뜻은 이런 겁니다. '도와주고 싶어, 진짜로. 하지만 알잖아. 우리가 그렇게 못한다는 거.'"

레이건과 부시가 추구한 경제정책의 핵심은 부유층을 위한 세금감면과 기업의 탈규제, 그리고 공공서비스의 민영화였다. 그러나 두 사람은 하나같이 서민들과 어울려 사진을 찍는 '친서민 행보' 를 즐기곤 했다.

부시 전 대통령은 재임 중 공립학교에서 학생들과 어울리기를 좋아했다. 비록 학교의 서열화와 교육민영화로 공교육을 파괴했다는 평가를 받고 있지만 말이다. 부시는 교육예산을 삭감함으로써 등록금 가계 부담을 대폭 늘려놓은 장본인이기도 하다.

1987년에 레이건 대통령은 실업으로 고통받던 미시간 주 플린트를 찾았다. 그리고 실업자들 몇 명을 불러내 피자를 사주었다. "시야를 넓게 갖고 찾아보면 일자리가 많을 것"이라는 위로도 잊지 않았다. GM이 탄생한 곳인 플린트는 다큐멘터리 영화감독인 마이클 무어의 고향이기도 하다. 부유했던 이 도시는 미국에서 가장 끔찍한 실업과 범죄의 고장으로 전락해갔다.

GM은 레이건 재임 당시 엄청난 흑자를 올리면서도 플린트의 공장을 폐쇄하고 3만 명이 넘는 노동자를 해고한다. 회장이었던 로저 스미스는 공장을 저임금 국가로 옮긴 뒤 남은 돈으로 50억 달러짜리 군수업체를 인수하고 자신의 연봉을 인상했다.

대통령의 피자 파티에 참석했던 사람들은 결국 일터로 돌아가지 못했다. GM이 추가로 직원들을 해고하고 공장 문을 닫았기 때문이다. GM은 한때 높은 임금과 복지로 직원들 사이에서 '관대한 자동차회사(Generous Motors)'라는 별명으로 불리기도 했다.

그러나 레이건의 '비즈니스 프렌들리' 보수개혁 속에서 이 회사는 이익이 된다 싶으면 서슴없이 해고통지서를 날렸다. 정부의 탈규제 정책에 힘입어 GM은 수익을 기술개발이나 인력투자 대신 금융업과 부동산에 쏟아부었다. 그러면서 '자동차 생산을 부업으로 하는 금융사'라는 새 별명을 얻게 되었다.

1970년대에 미국 시장 점유율 60%를 자랑하던 GM은 1990년대 후반 들어 점유율이 20%대로 추락한다. 이 회사는 결국 2009년 파산보호를 신청하고 국유화되는 운명을 겪었다. "기업의 존재 목적은 이윤 추구이지 생활 보장이 아니다"라며 서민들을 해고하던 회사가 서민들이 푼돈을 모아 낸 세금으로 연명하는 처지가 된 것이다. 세금의 존재 목적은 국민들의 생활 보장이지 실패한 이윤 추구의 뒷감당이 아닌데 말이다.

0.01% '슈퍼 상위층'의 탄생

마이클 무어는 다큐멘터리 영화 〈자본주의: 러브 스토리〉에서 지난 20년간 전 미국이 '플린트화' 되었다고 말한다. 그가 데뷔작인 〈로저와 나〉에서 보여주었던 GM과 플린트의 문제는 이제 모든 산업 종사자들과 미국 전역, 더 나아가 전 세계의 문제가 되었다. "미국을 따르는 것이 살 길"이라며 미국식 신자유주의를 적극 추구해온 한국도 예외가 아니다.

마이클 무어의 〈자본주의〉는 '따뜻한 보수' 를 내세운 레이건과 부시 정부 밑에서 서민의 삶이 어떻게 파괴되었는지를 생생히 보여준다. 레이건 정부 시절에 수백만 명이 일자리를 잃었으며, 간신히 자리를 지킨 사람들은 훨씬 많은 일을 하면서도 월급봉투가 더 얇아졌다.

레이건과 이명박 대통령은 여러 면에서 닮은 꼴이었다. 둘 모두 기업 관점의 이윤논리에 밝으며, 전국적인 지지를 업고 압도적인 표차로 당선되었다. 그러나 정말 쌍둥이처럼 닮은 것은 경제관과 노사

정책이었다. 둘 모두 당선되자마자 부유층 세금감면과 기업 활동 규제철폐로 대표되는 '보수개혁'을 밀어붙였으며, 노동자들의 생존권 요구에는 물리력으로 답했다.

삶의 황폐화는 제조업 노동자만의 문제가 아니었다. 소득이 최상위 1%에 집중되기 시작하면서 양극화는 전문직 중산층에까지 파고들었다. 민항기 기장 같은 경우, 과거에는 '고소득 전문직'에 해당했다. 그러나 〈자본주의〉는 1년 소득이 1만 9000달러(약 2100만 원)인 기장을 보여준다. 그는 1000만 원이 넘는 식료품 카드빚이 있었고, 갚아야 할 대학융자금도 8만 달러(약 9000만 원)가 넘었다.

2009년 뉴욕 주 버펄로에서 비행기가 추락해 탑승자 전원이 사망하는 사고가 있었다. 나중에 밝혀진 바에 따르면, 기장이 생활고를 해결하기 위해 퇴근 후 커피숍에서 아르바이트를 하고 있었다고 한다. 이 항공기 추락 사고는 승무원들의 과로와 열악한 근무조건, 그리고 구조조정으로 인한 안전점검 요원 부족이 결합해 발생한 사건이었다.

이는 양극화가 빈곤층만의 문제가 아님을 말해준다. 고통은 저소득 계층부터 찾아오지만, 부가 극소수에게 집중되면서 빈곤화가 중산층과 고소득층으로 전이되기 때문이다. 미국의 양극화 추이를 보면, 상위 10% 가운데 최상위 1%를 뺀 상위 9%의 소득마저 급속히 하락하고 있다. 게다가 상위 1% 내에서도 부의 쏠림 현상이 나타나고 있다. 예컨대 2010년 미국 소득증가분의 93%를 상위 1%가 독차지했는데, 그 1% 중의 1%, 즉 0.01%의 '슈퍼 상위층'이 전체 소득증가분의 37%를 쓸어 갔다.

금산분리 완화 등의 탈규제 정책은 소득의 양극화를 가속화하는 결과를 낳는다. 미국의 생산성은 1980년대 이래로 두 배 이상 늘었지만, 서민들의 소득은 늘지 않았다. 더 일하고도 대가를 받지 못하는 것도 문제지만, 이에 못지않게 심각한 것은 생산성 증대로 인한 기업이윤이 생산적인 방식으로 사회에 재투자되지 않는다는 점이다.

금융산업의 탈규제는 기술개발이나 인력양성 등 장기적이고 생산적인 투자에 쓸 이윤을 투기자본처럼 단기적이고 비생산적인, 더 나아가 파괴적인 용도로 쓰도록 유도한다. 경제학자 폴 크루그먼은 이런 식의 '못된 짓에 상 주기'가 미국 경제를 파국으로 몰고 갔다고 분석한다.

〈자본주의〉는 공공서비스가 민영화될 때 어떤 일이 벌어지는지도 보여준다. 의료나 보험처럼 정상적 삶을 유지하는 데 필수적인 서비스마저 이윤 추구의 장으로 전락한 것이다. 그리하여 평균소득 4만 달러가 넘는 '선진국' 국민들이 자기 손으로 상처를 꿰매고, 약값을 아끼기 위해 국경을 넘는 것이다. 그에 못지않게 놀라운 것은 교화시설의 민영화다. 펜실베이니아의 한 지역에서는 공공소년원을 민간에 위탁해 운영하기 시작했다.

앞에서 GM 경영진이 잘 설명했듯, 민간시설의 존립 목적은 '이윤 추구'에 있다. 민영교도소가 '제대로' 운영되려면 끊임없이 '고객'이 필요하고, 고객이 늘수록 정부로부터 받는 보조금은 늘어난다. 펜실베이니아의 민영소년원은 판사에게 '수고비'를 건넸고, 판사는 무려 6500명의 청소년을 부당한 이유로 기소해서 민영교도소에 가뒀다.

그중에는 어머니 친구에게 대들었다는 이유로 잡혀 온 소년도 있었고, 쇼핑몰에서 친구와 싸운 소녀, 인터넷에 교장을 조롱하는 게

시물을 올린 여중생도 있었다. 친구와 다퉜다는 이유로 갇힌 소녀는 애초 3개월에서 6개월 정도 수감될 예정이었으나, 기간이 점점 늘어 무려 1년을 교도소에서 보내야 했다. 한국에서도 2010년에 첫 민영 교도소가 문을 열었다. 이곳 역시 정부에서 위탁받은 수감자를 관리하면서 경비를 국고에서 지원받는다.

사람은 정말 '이윤의 동물'일까?

마이클 무어는 〈자본주의〉를 통해 묻는다. 다수를 불행 속에 몰아넣는 경제체제를 왜 유지해야 할까? 합리화 기제는 의외로 단순하다. "인간은 원래 그런 존재"라는 것이다. 돈을 봐야만 힘이 솟아오르는 존재이기 때문에 금전적 보상 없이는 제대로 일을 하지 않는다는 것이다. 예컨대 민간 의료시설에 고수익을 보장하지 않으면 '의료기술 선진화'를 이룰 수 없다는 것이다. 이는 한국 정부가 영리병원을 허용하는 데 썼던 논리이기도 하다.

정말 그럴까? 꼭 그렇지만은 않은 것 같다. 〈자본주의〉는 아이들을 위해 자신이 개발한 소아마비 백신의 특허출원을 거부한 조너스 소크 박사를 보여준다. 2차 세계대전 이후 소아마비가 전 세계를 휩쓸고 있을 때의 일이다. 만일 특허신청을 했다면 그는 훨씬 더 큰 부자가 됐을 것이고, 지금 이 순간 훨씬 더 많은 사람이 다리를 절고 있을 것이다. 사람들은 소크 박사가 왜 이 좋은 돈벌이 기회를 마다하고 피땀 흘려 개발한 신약을 무료로 공개했는지 궁금해했다. 그는 이렇게 답했다.

"특허신청을 하는 일은 없을 겁니다. 당신 같으면 햇볕을 가지고 특허신청을 하겠습니까?"

사실 이런 사람들은 수없이 많다. 이 시간에도 수많은 사람들이 부와 안락한 삶을 버리고 소외된 이웃을 위해 헌신하고 있기 때문이다.

미국 제약회사들은 특허권을 집요하게 주장하는 것으로 정평이 나 있다. 매일 수많은 환자가 죽어가는 저개발국에도 복제약을 만들지 말고 '정품' 을 사서 쓰라고 요구한다. 물론, 자국인들도 함부로 못 사는 비싼 약을 가난한 나라 사람들이 제값을 내고 사기란 불가능하다.

이들은 '기술발전' 을 위해 어쩔 수 없다고 항변한다. 제대로 된 금전적 보상이 없으면 어느 회사도 신약 개발에 나서지 않으리라는 것이다. 경제학자 장하준은 그의 책《나쁜 사마리아인들》에서 이 주장을 간단히 반박한다. 2000년 한 해 동안 미국에서 사용된 의약 연구 개발비의 57%는 민간기업이 아니라 정부(세금), 자선기관, 그리고 대학에서 왔다는 것이다.

"사기업의 이익을 보장해야만 세상이 제대로 돌아간다"거나 "사람은 이윤의 동물"이라는 주장은 기득권층이 자신들의 탐욕을 합리화하기 위해 유포한 거짓에 지나지 않는다. 우리의 경험으로도 알고 있지 않은가. 우리 삶을 움직이는 동기가 돈만이 아니라 자비, 사랑, 명예, 그리고 무엇보다 양심이라는 사실을.

2장

망가진 공동체

나는 나처럼 끔찍한 괴물을 본 적이 없으며,
나처럼 놀라운 기적을 본 일도 없다.

미셸 드 몽테뉴
Michel de Montaigne

손님이여,
당신은 왕이 아니다

언제부턴가 "고객은 왕"이라는 말이 상식이 됐다. 정말로 고객은 왕일까? 고객이 왕인지 아닌지는 각자 혈통을 따져보면 알 수 있을 것이다. 참고로 왕은 카트를 밀며 장을 보지 않는다. 종업원과 옥신각신 다투지도 않는다.

"고객은 왕"이란 말은 어떻게 생겨난 것일까? 일본 상인들 사이에서 격언처럼 사용되어온 말이기도 하고, 경영학자 피터 드러커가 경영학계에 널리 퍼뜨린 말이기도 하다. 일본에서는 아예 "고객은 왕"을 넘어 "고객은 신"이라는 말까지 쓰고 있다.

이 말을 누가 처음 썼는지는 알 길이 없으나, 분명한 것은 "고객은 왕"이라는 상식이 더 이상 상식이 아니라는 점이다. 꽤 많은 경영 전문가들이 이 말을 '왕'이라는 단어만큼이나 낡은 것으로 치부하기 시작했기 때문이다. 고객 비위 맞추기에 초점을 두는 마케팅 전략은 별 효과가 없을 뿐 아니라, 자칫하면 사업 자체를 위험 속에 몰아넣을 수 있다는 것이다.

한 대기업이 애용하는 "고객이 '오케이' 할 때까지"라는 슬로건도 같은 맥락에서 볼 수 있다. 이 표어는 한국 재계의 케케묵은 사고를 보여줄 뿐이다. 한국 기업들이 지겨울 정도로 '고객 서비스'를 강조하는 것은 고객을 끔찍이 아껴서라기보다는 경영진의 무능을 덮기 위해서다.

투자와 혁신을 통해 상품을 제대로 만들어놓으면 판매원들이 얼굴 경련을 일으킬 정도로 웃지 않아도 잘만 사간다. '욕쟁이할머니' 식당을 보라. 서비스는커녕 욕을 바가지로 먹고, 바가지로 얻어맞으면서도 먹는다. 애플도 잘 보여주고 있듯, 최근 부상하는 마케팅은 오히려 "고객이 안달할 때까지"다.

"고객이 '오케이' 할 때까지" 전략의 가장 큰 문제는 고객이 결코 '오케이' 하지 않는다는 데 있다. 잘 알지 않는가. 고객이 얼마나 변덕스럽고, 무례하고, 감정적이고, 탐욕스럽고, 뻔뻔한 존재인지 말이다. 또 하나의 문제는 안락한 회의실에 앉아 '고객 제일주의'를 기획한 장본인들이 고객의 욕설과 포효를 직접 받아주는 게 아니라는 점이다. 그 험한 일은 박봉의 직원들에게 돌아가고, 경영진은 이들을 감시하고 처벌할 뿐이다. 고객이 '오케이' 할 때까지.

친절을 강요하는 문화

방학을 맞아 오랜만에 한국에 와서 은행카드 발급신청을 한 적이 있다. 거래하는 은행 지점에 들러 안내를 받으며 신청서를 써서 냈다. 자상하고 빠르게 일을 처리해주어 고마웠지만 마음은 편치 못했다. 부담스러울 정도로 친절했기 때문이다.

친절한 게 왜 문제냐고 묻는 사람이 있을 것이다. 물론 나도 친절한 게 좋다. 문제는 이 친절이 '선택'이 아니라 '의무'라는 데 있다. 마지못해 베푸는 서비스를 즐기면서 더 많은 걸 요구한다면 비정상적인 가학 성향이 아닐까.

한국 기업이 자랑하는 '친절 서비스'에는 생존의 절박함이 묻어난다. 기업의 절박함이 아니라 서비스를 베푸는 직원 개인의 절박함 말이다. 게다가 이 친절은 같은 친절로 보답받지 못한다. 스스로 왕이라고 믿는 손님으로부터도, 직원의 명줄을 쥐고 있는 고용주로부터도.

2011년 여름, 서울의 한 백화점 식품코너에서 있었던 일이다. 시식용 과일을 권하는 점원을 지나쳐 가는데, 손님 한 명이 샘플을 받아먹고 이야기를 나누더니 갑자기 점원에게 고함을 지르기 시작했다. 주위 사람들이 놀라 눈이 휘둥그레졌다. 손님은 입에 담기조차 어려운 말을 뱉고, 점원은 연신 허리를 굽히며 "죄송합니다"를 반복했다. 독이 든 과일을 받아먹은 게 아니라면 손님의 태도는 용납될 수 없는 것이었다.

손님과 점원이 만나는 건 어느 한쪽의 필요에 의해서가 아니다. 손님은 자선사업가가 아니다. 손님과 점원은 서로를 필요로 한다. 서로 도움을 베푸는 계약관계에서 서로 배려하고 존중하는 건 당연하다. 어느 한쪽이 '왕'이고 어느 한쪽이 '종'일 수 없는 것이다.

■

'손님은 왕' 이라는 이데올로기는 모든 서비스업 종사자를 고객의 노예로 만든다.
이 낡은 경영 전략은 직원과 기업 자신은 물론 고객이 속한 공동체까지도 파괴한다.

© 권우성

폭정을 일삼으면 왕의 목도 치는 마당에, 왜 직원이 손님의 어처구니없는 요구와 무례를 끝까지 감내해야 한단 말인가. 고객에 대한 '무한 친절'은 직원과 회사는 물론 고객 자신에게도 도움이 되지 않는다. 그러나 가장 심각한 문제는 친절의 강요가 한국 사회를 파괴한다는 점이다.

고용주는 차별화도 안 되는 고만고만한 상품을 내놓고 나서 직원들에게 몸으로, 모욕으로 때우라고 요구하지 말아야 한다. 고용불안을 악용해 '당신 아니어도 쓸 사람은 널렸다'는 뻔뻔한 태도로 직원을 대하지 말아야 한다. 제 목을 조르는 어리석은 짓이기 때문이다. 게다가 기업은 고용불안정을 만든 주범 아닌가.

그리고 손님은 유세 떨지 말아야 한다. 상대의 생존을 무기로 친절을 강요하지 말아야 한다. 그건 소비자로서 누려야 할 권리가 아니라 인간으로서 피해야 할 무례다.

감정노동으로 전락한 고객만족

은행에서 카드 신청을 하고 나서 몇 시간 뒤 전화가 왔다. 간단히 몇 가지 질문에 답하고 전화를 끊었다. 얼마 후 이번에는 본사에서 이메일이 왔다. '고객만족도'를 조사한다며 전화한 상담원을 평가하라는 것이다. 10분이 채 안 되는 짧은 통화를 한 것뿐인데 말이다.

나는 이게 어떤 의미인지 안다. 친절이 의무가 된 사회에서 '평가'란 포상보다는 처벌을 위한 절차라는 걸 말이다. 잘하면 현상유지이고, 못하면 목이 날아가는 것이다. 사실 한국 손님들은 다른 나라에서는 꿈도 못 꿀 만한 극진한 대접을 받는다. 하지만 직원에게 강요되는 이 '극진함' 은 서비스의 전문성보다는 인사, 말투, 웃음, 인내 등 외적 형식에 집중되는 경우가 많다.

'기분 맞추기' 에 초점을 둔 서비스는 경쟁이 심해지면서 직원에게 '비굴함' 을 요구하는 수준에 도달하게 되고, 여기에 익숙해진 고객들은 웬만한 친절로는 성이 차지 않게 된다. 이렇게 잘못 길들여진 고객은 알 수 없는 이유로 기분이 조금만 상해도 '피의 보복' 을 요구하며 난리를 치고, 이들의 지극히 주관적인 평가는 직원의 생사를 가른다.

나는 왜 백화점 점원들이 두 손을 모으고 직각으로 인사해야 하는지 이해할 수 없다. 판매원은 제품에 관한 전문적 식견으로 고객의 선택에 도움을 주는 전문가들이다. 하지만 이들은 "고객은 왕"이라는 이데올로기 속에서 고객의 비위나 맞추는 순수한 감정노동자로 전락했다. 여기서 피해를 보는 건 비단 힘없는 직원만이 아니다.

직원이 행복하지 않은 기업이 성공할 수는 없다. 돈 몇 푼 때문에 자신의 존재가치까지 회의하게 만드는 회사에 누가 헌신하고 싶겠는가. 게다가 직원은 회사 문을 나서는 순간 또 다른 고객이 된다. 직원은 가장 먼저 만족시켜야 할 고객인 것이다. 회사는 자기가 왕인 줄 아는 분수 모르는 고객으로부터 직원을 보호해야 한다. 기업 스스로 고객들의 버릇을 망쳐놓고 나서 그들의 횡포 속에 직원을 내던져서는 안 된다.

종업원에게 무례하게 구는 손님은 스스로 지능을 의심해야 한다.

고객의 무례를 견뎌내는 종업원이 사실은 그 뻔뻔한 고객의 더 큰 고객일 수 있기 때문이다. 공동체에서 일방적인 관계란 존재하지 않는다. 한 사람이 불행해지면, 공동체는 그 몫만큼 불행한 사회가 된다. 한국은 그리 큰 나라도 아니어서 남의 불행이 자신의 불행으로 되돌아오는 데 오랜 시간이 걸리지 않는다.

'진상 손님' 들은 자신이 한국 사회의 낮은 행복지수와 높은 자살률에 한몫하고 있다는 사실을 알아야 한다. 그 결과, 그러잖아도 비참한 자신의 삶이 더 비참해지고 있다는 사실도 알아야 한다. 남에게 존경받는 사람들 가운데 남을 존경하지 않는 사람은 없다.

고용불안에 기생하는 진상 손님

한국은 자살률이 높기도 하지만, 자살 양상도 다른 나라들과 판이하게 다르다. 유독 젊은 사람들의 자살률이 높기 때문이다. 10대, 20대, 30대 모두 사망 원인 1위가 자살이다. 자살자 성비도 특이해서, 보통 남성 자살률이 여성보다 두세 배 높은 데 비해 한국은 여성 자살률이 남성 자살률과 비슷하거나 더 높다. 더욱 우려스러운 점은 젊은 여성의 자살률이 계속 높아지고 있다는 점이다.

2011년 보건복지부 보고서를 보면, 1998년에서 2009년까지 20~30대 남성의 자살 증가율은 10%대였으나, 같은 연령대의 여성 자살 증가율은 100%를 훌쩍 넘었다. 2010년 통계청 자료를 보면, 한국의 전체 취업자 가운데 약 30%가 서비스 분야에서 일하고 있으며, '서비스 종사자'의 65%와 '판매 종사자'의 51%가 여성이다. 우리가 매장과 식당에서 일상적으로 대하는 종업원 대다수가 여성이라는 말이다.

2012년 9월 국회 보건복지위원회 김용익 의원(민주통합당)은 통계청 자료를 토대로 2010년 직업별 자살률을 분석했다. 자살자가 가장 많은 직군은 '무직, 가사, 학생'으로 분류되는 사람들로 6236명이었고, 그다음이 서비스 및 판매 종사자들로, 자살 사망자가 1291명이었다. 서비스 및 판매 종사자들은 직업별 행복지수와 만족도 역시 매우 낮았다.

"회사에 출근하기도 힘든 거예요. 내가 기분 좋게 출근해서 기분 좋게 일을 하고 집으로 가야 되는데. 얼마를 벌자고 여기 와서, 어쩔 때는 진짜 도살장 끌려가는 소마냥. 아, 오늘도 내가 출근해야 되는구나. 오늘 여기에 또 어떤 사람들이 올까. 이런 걱정을 하고서 출근을 하는 거예요."

국가인권위원회가 2011년 인터뷰한 대형마트 종업원의 이야기다. 고객 개개인의 태도가 서비스 종사자들과 여성들의 행복지수에 얼마나 지대한 영향을 미치는지 알 수 있다.

사실 한국의 젊은 여성들을 괴롭히는 문제는 한두 가지가 아니다. 우선 구조적 문제를 들 수 있는데, 이를테면 취업, 임금, 승진에서의 차별과 편견이라든가 성범죄 등 여성에게 가혹한 사회 환경이 한국 여성들의 삶을 불행하고 위태롭게 하는 것이다.

두 번째는 개인적 문제로, 한 사람이 한 사람을 대하는 방식이다. 구조적 문제의 해결이 법 개정이나 사회적 인식의 변화 등 비교적 오랜 시간을 필요로 하는 반면, 개인적 문제는 당장 집 밖을 나서서 해결할 수 있다. 당장 나부터 상대를 존중하고 배려하면 되기 때문이다. 여기서 여성들의 불행이 단지 '여성 문제'가 아니라는 사실을 깨닫는 게 중요하다. 여성의 낮은 행복지수가 낮은 출산율의 직접적 원인이라는 점에서, 여성이 행복하지 않으면 한국의 미래는 없다. 기업과 고객의 미래도 없는 건 당연하다.

국가인권위원회의 2011년 소비자 설문조사를 보면, 판매사원들이 "소비자로 인한 스트레스로 우울증을 앓거나 질병에 걸릴 수 있다는 것을 안다"는 응답자가 81.2%나 됐다. 자신의 무례한 태도가 종업원을 불행하게 한다는 사실을 알면서도 그렇게 하는 것이다. 우리는 이 잔인한 사회에 치여 살면서, 어느새 스스로 잔인한 가해자가 됐다는 사실을 깨닫지 못한다.

얼마 전, 전국 백화점 직원을 공포에 떨게 한 '진상 손님'이 경찰에 잡혔다. 이 고객은 사지도 않은 물건의 환불을 요구하는 것은 물론, 상품에 문제가 있어 건강이 악화됐다고 거짓말을 하면서 수십만 원에서 수백만 원을 뜯어냈다. 직원이 영수증을 보여달라고 하면 "고객은 왕"이라며 소란을 피웠고, "본사에 알려 불이익을 받게 하겠다"고 협박했다. 직원들은 울며 겨자 먹기로 돈을 줄 수밖에 없었다.

이렇게 강탈한 돈이 1000만 원이나 됐다. 모두 직원 개인의 호주머니에서 나온 돈이었다. 이 고객의 체포 소식이 전해지자 사람들은 그의 탐욕과 뻔뻔함을 비난했다. 하지만 '진상 손님'은 단지 개인의 욕심만으로 만들어지지 않는다. 이는 '무한서비스'를 내세우면서 모든 책임을 직원에게 지우는 기업과, 이런 업주의 부당한 요구에 뒷

짐 진 정부가 가세한 결과다.

한국에서 '진상 손님' 은 결코 특이한 존재가 아니다. 전국민간서비스산업노동조합연맹의 2011년 설문조사에 따르면, 서비스직 종사자들 가운데 40%가 인격을 무시당한 경험이 있었고, 폭언을 경험한 사람이 30%에 달했다. 그 결과, 서비스업계에서 일하는 사람들 26.6%가 정신과 치료가 필요한 중증 혹은 고도 우울증 증세를 보인다.

한국 사회에서 '진상 손님' 으로 인한 피해는 점차 늘어갈 것이다. 일자리 찾기가 하늘의 별 따기인 상황에서 자영업자와 감정노동 종사자 비율이 계속 늘고 있기 때문이다. 한국 자영업자들은 먹고 마시는 요식업과 소규모 판매업에 몰리는 경향이 있다. 한국인이 특별히 식탐이 많거나 판매에 남다른 열정을 지녀서가 아니다. 한국이 기초생활조차 보장하지 않는 복지 후진국이기 때문에, 위험부담이 높은 미개척 영역보다 수요가 보장된 '안전한' 영역을 선택할 수밖에 없는 것이다.

이는 개인, 기업, 국가 모두에게 불행한 결과로 나타난다. 커피, 통닭, 감자탕, 휴대폰 케이스가 삶에 기쁨을 보태주는 건 분명하나, 국민 대다수가 이 일에 종사하는 게 국가 입장에서도 최선일 수는 없기 때문이다. 따라서 기초 복지를 확대해 국민들이 새로운 영역에서 '모험' 을 할 수 있도록 도와주는 것이 '국가전략산업' 에 막대한 돈을 쏟아붓는 것보다 훨씬 효과적인 미래 대비책이 된다.

시티폰, 와이브로, 4대강 사업 등이 보여주듯 국가사업은 실패가 다반사다. 하지만 복지는 실패할 수 없는 투자다. 기초생활이 보장되면 국민들은 생존보다는 적성과 이상에 따라 일자리를 찾거나 만들게 된다. 부가가치 높은 미래형 사업이 이곳저곳에서 나타날 것은 당연하다. 무엇보다 국민들이 행복해질 것이다. 사업주도 더 이상 생계를 무기 삼아 직원들에게 과잉친절을 강요할 수 없게 된다. 직원은 감정노동에 쏟던 에너지를 창의적 아이디어로 바꿔 회사에 되돌려줄 것이다.

그렇게 되면 고용불안에 기생한 '진상 손님'이 설 자리를 잃는 것은 물론, 일상에서 서로를 배려하는 마음도 늘어날 것이다. 복지가 삶에 여유를 가져다주기 때문이다. 한국 사회 곳곳에 밴 무례와 뻔뻔함의 상당 부분은 비인간적 생존경쟁의 결과다.

빨리 손을 써야 한다. 시간이 많지 않다. 이미 과포화 상태인 소규모 판매업과 요식업 분야에는 머지않아 젊은 퇴직자들이 대거 몰려들 것이다. 이 좁은 분야에서 경쟁은 가열될 수밖에 없고, 그로 인해 직원들의 감정노동 강도와 더불어 고객들의 몰염치도 늘어나게 될 것이다. 불행하게도 인터넷은 고객의 억지에 무게를 싣는 지렛대 역할을 하고 있다. 이대로 간다면 그러잖아도 불행한 한국 사회는 더욱 불행해질 것이다.

투표권을 제대로 행사하는 것도 도움이 될 것이다. 표를 던질 때 복지가 찬성과 반대, 혹은 보수와 진보의 문제가 아니라는 점을 기억할 필요가 있다. 한국 사회의 존속이 '찬반으로 결정할 문제'가 아니듯 말이다. 아울러 소비자에게도 교육이 필요하다. 돈 몇 푼 가지고 상대를 모욕할 권리가 없다는 사실을 알아야 한다.

업주도 "소비자를 왕 모시듯 하는 게 사업에 도움이 되지 않는다"는 경영학계의 조언에 귀를 기울일 필요가 있다. 소비자조차 직원의 과도한 친절을 달가워하지 않는다. 국가인권위 설문조사에서 60%의 소비자들이 "매장 직원의 지나친 인사가 불편하다"고 답했다. 소비자는 불편하고, 직원은 불행하고, 업주는 불리한 일을 왜 강요한단 말인가.

인간에 대한 예의와 배려는 어떤 정당이 집권하고 어떤 지도자가 당선되는가와 상관이 없다. 시민 스스로가 해결해야 할 문제다. 다시 한 번 말하건대, 손님은 왕이 아니다.

'김 여사' 조롱하는 비겁한 사회

인터넷은 가혹한 공간이다. 우리 현실이 그렇듯 말이다. 현실 사회의 괴팍함이 인터넷까지 번지는 건 당연하다. 인터넷도 사회의 산물이고, 인터넷을 드나드는 사람 역시 현실 사회의 구성원들이기 때문이다.

그렇다면 인터넷에서 오가는 이야기로 한국 사회를 진단할 수 있을까? 나는 어느 정도 가능하다고 믿는다. 비록 한 사회를 온전히 비추는 전신거울은 될 수 없을망정, 작은 '손거울' 정도의 역할은 할 수 있다고 본다.

인터넷을 중심으로 확산되어온 '○○녀/김 여사' 현상은 한국 사회의 어떤 점을 보여주고 있을까? 일단 검색부터 해본다. 구글에서 '김 여사'를 검색하니 0.26초 만에 1790만 개가 뜬다.

각종 '○○녀'도 찾아본다. 말 함부로 하는 건 대개 여자고('막말녀'), 남에게 행패 부리는 것도 여자며('행패녀'), 아무 데서나 담배를 빼 무는 것도 여자다('담배녀'). 이 갖가지 '○○녀'들은 운전석에 앉는 순간 '여사'가 되는데, 역주행과 불법 좌회전을 즐기며 주로 학교 운동장이나 논두렁에 주차하는 습관이 있다.

이런 이야기를 어떻게 받아들여야 할까? 가장 손쉬운 설명은 한국 여자들이 실제로 그렇다고 말하는 것이다. 하지만 한국 여자들이 정말 그렇게 '막장'일까?

'김 여사' 담론의 허구

일단 이 가설은 상식적으로 받아들이기 어렵다. 일반적 경험으로 볼 때 한국 여자들이 남자들보다 특별히 더 거칠거나 뻔뻔하다고 믿을 수 없기 때문이다. 그렇다면 '악행'이 주로 여자들 차지가 되는 까닭은 무엇일까?

혹시나 앞의 가설에 여전히 미련을 갖는 사람이 있을지 몰라 말해두건대, 통계적 사실은 '김 여사 전설'을 뒷받침하지 않는다. 교통안전공단의 2010년 조사 결과를 보면, 한국 남성이 여성보다 평균 5배가 넘는 교통사고를 내기 때문이다. 운전면허 소지자 100명당 교통사고 발생 건수를 봐도, 남성이 여성보다 3.3배나 높았다.

그렇다면 사고 차량마다 '김 여사'가 어른거리는 이유를 어떻게 설명해야 할까? 두 사건에 대한 다음과 같은 보도를 예로 들어보자.

보도 1. 현금 수송차 들이받은 '김 여사'…… 가만히 있는 차를 왜?

길을 가던 승용차가 속도를 줄이지 않고 그대로 현금 수송차를 들이받아서 1명이 숨졌습니다. 운전자는 50대 여성이었습니다.

2012년 한국 사회를 뒤흔들어놓았던 사건이다. 제목의 '김 여사'부터 시작해 이 짧은 보도는 운전자가 여성이라는 사실을 두 번이나 강조한다. 사실 이 사건이 일어나기 며칠 전, 더 큰 사고가 있었다. 하지만 같은 매체인데도 보도 태도는 사뭇 달랐다.

보도 2. '일가족 참변'…… 가해 운전자 '만취'

오늘 새벽 인천국제공항 고속도로에서 승용차 2대가 추돌해 일가족 4명이 모두 숨지는 참변이 일어났습니다. 가해 차량의 운전자는 만취 상태였습니다.

일가족 4명이 모두 사망한 대형 사고였고, 가해자는 음주운전을 하다 이 끔찍한 사고를 저질렀다. 그러나 제목에도 본문에도 운전자의 성별은 드러나지 않는다. 오직 '만취 상태'였다는 사실만 언급될 뿐이다(가해 운전자는 남자였다).

두 보도는 아주 흥미로운 대비를 보여준다. 두 번째 보도가 사건을 '만취운전'이라는 외적 요인으로 설명하는 반면, 첫 번째 보도는 '여성성'이라는 내적 요인과 결부한다. 다시 말해 '여성성' 자체를 사고의 원인으로 간주하는 것이다. 거의 대부분의 한국 언론이 이런 식의 보도 태도를 보인다.

행동의 원인을 엉뚱한 데서 찾음으로써 고정관념과 차별을 합리화하는 '귀인편향' 적 태도는 사회 곳곳에 널려 있다. 누군가 죄를 저지르면 당사자 개인을 비난하다가도, 그가 특정 지역 출신이라는 사실이 알려지면 행위를 '지역적 특성' 과 결부 짓는 못된 습성이 그렇다. 같은 범죄도 다른 지역 출신이 일으키면 '지역연관성' 을 무시하기 때문에, 마치 특정 지역 사람만 문제를 일으키는 것으로 보이게 된다.

'김 여사 신화' 도 같은 방식으로 생산되고 유포된다. 사고가 일어났을 때 운전자가 남성이면 과실이나 고장 등 원인을 찾지만, 운전자가 여성이면 원인을 밝히기에 앞서 여성이라는 사실부터 조롱하고 보는 것이다. 그 결과, 여성이 유발하는 사고 횟수가 훨씬 적어도 눈에 쉽게 드러나게 되고, 여성은 사고 때마다 정체성까지 공격받게 된다.

이런 식의 고정관념이 강화되면 사고가 나기만 해도 반사적으로 '김 여사' 를 떠올리게 된다. 실제로 언론보도와 인터넷에 게시된 글들을 보면, 운전자 성별을 알 수 없는 실수나 사고조차 '김 여사' 로 의미화되는 경우가 흔하다. 남자들이 교통사고를 낼 때마다 다음과 같은 보도가 나오면 어떨까?

음주운전에 '일가족 참변' …… 가해 운전자 또 '남자'

오늘 새벽 인천국제공항 고속도로에서 승용차 2대가 추돌해 일가족

4명이 모두 숨지는 참변이 일어났습니다. 역시나, 가해 차량의 운전자는 남자였습니다.

여기서 끝나면 양반이다. 앵커가 "왜 이런 일이 반복되는 것일까요?"라고 묻고, 전문가들이 나와 '남성의 두뇌구조'를 들먹인다고 생각해보라. 이게 정확히 한국 여성들이 처한 어처구니없는 상황이다.

한 사회의 지배자는 모습을 잘 드러내지 않는다. 이름 자체가 없는 경우도 흔히 볼 수 있다. 기호학에서는 이런 현상을 '무표/유표(unmarkedness/markedness)'라는 개념으로 설명한다.

남자를 일컫는 인칭대명사 '그'는 남자와 여자 모두를 지칭하지만, '그녀'는 오직 여자만을 지칭한다. 남자는 그냥 가수고, 작가고, 경찰이지만, 여자는 '여가수'에, '여류 작가'에, '여경'이다. 사회는 약자와 소수자의 정체를 꼭 집어 드러내는 경향이 있다.

'김 여사' 담론이 부당하다고 느낀 사람들이 '김 여사'에 대응할 남자 이름을 찾기도 한다. 그러나 호칭 자체가 마땅찮다. 간혹 '김 사장'이나 '김 여사 남편'이 쓰이지만, 이 명칭들은 여성의 약자 지위를 강조할 뿐이다.

'김 사장?' 사장은 언제나 남자여야 한단 말인가? '김 여사 남편?' '여사'는 '남편 둔 여자'라는 뜻이다. 따라서 '김 여사 남편'이라는 조어는 '남편 둔 여자의 남편'이라고 말하는 것과 같다. 사실 '여사'라는 말 자체가 의존적 이름으로, 남성은 이에 상응하는 호칭이 없다. 남자들은 '스스로 존재하는 자'니까.

언어가 얼마나 교묘하게 권력자 편을 드는지를 보여주는 사례가 아닐 수 없다. 언어 자체가 사회의 산물이고 권력의 산물이기 때문이다. 한국에서 여성 운전자는 맨몸이 드러나는 '유표'인 반면, 남성 운전자는 베일 뒤에 감춰진 '무표'인 것이다.

한국 사회를 들끓게 한 온갖 '○○녀'들도 같은 과정을 거쳐 탄생했다. 물론 약자를 바라보는 편향적 시선이 한국에만 있는 것은 아니다. 그러나 인터넷과 주류 미디어가 '못된 여자들' 이야기로 가득한 데는 한국 사회가 매우 비겁하다는 특유의 이유도 있다.

패배주의에 찌든 비열한 공명심

인터넷에 '못된 여자들'을 담은 글, 사진, 비디오가 넘치는 이유는 간단하다. 여자가 만만하기 때문이다. 남자들이 현실 속에서 아무리 행패를 부려도, 무슨 일을 당할지 모르니 이들에게는 함부로 카메라를 들이댈 수 없다. 하지만 여자는 아무리 사소한 일이라도 카메라의 손쉬운 먹잇감이 된다.

이처럼 만만한 상대를 골라 시답잖은 공명심을 느껴보려는 욕구가 '○○녀'와 '김 여사' 현상의 핵심이다. 사람들은 '악녀' 사진을 찍어 올리며 정의의 화신이라도 된 듯 의기양양할지 모르지만, 그런 일을 누가 못하겠는가. 이런 사진이 보여주는 거라곤 찍은 사람의 정의감이 아니라 휴대폰 배터리가 남아 있었다는 사실뿐이다. 여자 앞에서는 거리낌 없이 셔터를 눌러대는 사람들 다수가 험상궂은 사내 앞에서는 수줍게 고개를 숙일 것이다.

이제 카메라 없는 사람이 없고, 이 카메라는 붐비는 광장에서 으슥한 거리까지 비추지 않는 곳이 없다. '○○녀/김 여사'도 이 카메라에 의해 탄생됐고, 이 시간에도 대상을 물색하고 있다. 하지만 이 '아르고스(그리스 신화에 나오는 눈이 많은 괴물)의 눈'은 정작 정의가 구현되어야 할 순간에는 무기력하기 그지없다.

2012년 2월, 여중생이 지하철 안에서 오랜 시간 성추행당한 사건이 있었다. 퇴근 시간이라 수많은 승객이 있었다. 당시 승객 가운데 성추행 사실을 눈치챈 이도 있었으나, 소녀를 돕기는커녕 그 흔한 휴대폰 카메라 하나 꺼내 드는 이가 없었다. 상대가 건장한 청년이었기 때문이다.

'건장한 청년'만 카메라를 피해 가는 건 아니다. 5월에는 버스 안에서 노인이 여대생에게 심각한 폭언을 한 사건이 있었다. 오직 피해자 휴대폰만 제대로 작동했던 모양이다. 참다못한 여대생이 사진을 찍으려 하자, 가해자는 "나도 너 바지 벗겨서 찍어도 되냐"며 계속해서 협박을 했다.

고약한 상상이지만 가해자-피해자 상황이 뒤바뀌었다면 어땠을까. 버스에서 여대생이 노인에게 폭언을 했다면 말이다. '폭언'은 고사하고 반말만 했어도 승객들의 카메라는 일제히 터졌을 것이다. 그리고 누리꾼들은 낄낄거리며 이 '반말녀' 사진을 열심히 퍼 날랐을 것이다.

왜 이런 일이 일어나는 것일까? 패배의식 때문이다. 공명심은 느끼고 싶지만 정말 중요한 사회문제를 바로잡을 용기가 없을 때 하는 짓이 '만만한 상대 물고 늘어지기' 다. 이는 한국 주류 언론의 고질적 병폐이기도 하다. 일부 누리꾼이 퍼 나른 '○○녀/김 여사' 를 주류 언론이 열심히 확대 재생산하는 것이 결코 우연은 아니다.

안다. 모두가 모두에게 예의 바르게 행동하고, 좌회전해야 할 때 좌회전하고, 주차할 장소에 주차하면 더 안락한 사회가 된다는 걸 말이다. 하지만 한국 사회를 위협하는 가장 큰 문제는 '욕설녀' 나 '담배녀' 가 아니며, 심지어 '대변녀' 도 아니다.

한국 사회가 어떤 곳인가. 초등학생이 성적을 비관해 건물에서 뛰어내리고, 고등학생이 배달 오토바이를 몰다 차바퀴 밑으로 들어가고, 대학생이 등록금을 보태기 위해 술집에 나가고, 노동자가 직업병으로 목숨을 잃어도 산재 처리를 받을 수 없고, 노부부가 생활고로 번개탄을 피운 채 잠드는 사회다.

비열한 공명심은 그걸로 족하다. '김 여사' 조롱은 충분히 봤으니 이제 더 중요한 문제에 카메라를 들이대라. 그럴 자신이 없으면 카메라를 끄고 게임이나 하는 게 낫다.

한국에서 애플이 탄생할 수 없는 이유

언어는 사회의 거울이다. 독특한 언어습관을 잘 살피면 한 사회의 강박을 읽을 수 있다. 한국 역시 다른 곳에서는 보기 어려운 독특한 언어용법이 있다. '지방' 이라는 말이 그렇다.

대부분의 나라에서 '지방(local)' 은 '전국' 의 상대 개념이다. 반면, 한국에서는 거의 예외 없이 '서울' 의 반대말로 쓰인다. 한국에서 '지방' 이 보편타당한 의미를 갖는 드문 용례는 '서울지방법원' 과 서울시장 선거를 포함한 '지방선거' 정도일 것이다. 이 말은 서울도 전국을 이루는 지방의 하나라는, 당연하지만 잊힌 상식을 일깨운다.

'서울 아닌 모든 지역.' 이 얼마나 무지막지한 언어인가? 도대체 '서울 아닌 지역들' 사이에 어떤 공통점이 있기에 한꺼번에 뭉뚱그릴 수 있는 걸까? 워싱턴 DC 이외의 북미 대륙을 싸잡아 '지방' 이라고 부르거나 미국 이외의 나라를 '변방' 이라고 부른다고 생각해보자. 그러면 우리가 일상적으로 사용하는 '지방' 이라는 말이 얼마나 기괴한 언어인지를 알 수 있다.

언어는 의미만을 갖지 않는다. 모든 말에는 사회가 부여한 정서와 평가도 담겨 있다. 한국인이면 누구나 알 것이다. '지방'이 '서울이 아닌 지역'이라는 기능적 의미만을 갖지 않는다는 사실을 말이다. 사실 다양한 개성을 지닌 별개의 대상들을 한 덩어리로 묶는 행위 자체가 모멸의 의도를 갖는다. 인종차별적 표현인 '유색인종(colored)' 처럼 말이다.

야만의 언어 '지방대학'

사전적으로 '유색인종'이라는 말은 '백인이 아닌 인종들'이라는 뜻이다. 하지만 '백인이 아닌 인종들' 사이에 대체 무슨 유사성이 있으며, 이들을 백인과 구분해 한꺼번에 부를 이유가 무엇인가? 놀랍게도, 영어권에서 오래전 폐기된 '유색인종'이라는 모멸적 언어가 한국 언론에는 흔히 등장한다. 이런 언론이 '지방'이라는 차별적 언어의 문제점을 발견하지 못하는 것은 당연한지도 모르겠다.

'지방'의 담론 가운데 가장 억압적이고 모순적인 말은 '지방대'일 것이다. 완전히 다른 역사적·문화적·교육적 배경과 철학을 지닌 대학들이 왜 한데 묶여야 할까? 단지 수도권에 있지 않다는 이유만으로 말이다. 이 독특한 어법을 미국에 적용해보자. 한국인들이 높이 평가하는 대다수 대학들이 '지방대'로 편입될 것이다.

한국인들의 교육수준은 매우 높다. 한국의 교육제도 덕분에 높은 것이 아니라 이런 교육제도에도 '불구하고' 높다고 하는 게 정확할 것이다. 한국에서 초·중등교육을 받은 사람이라면 '수도권'과 '비수도권' 대학을 구분하는 게 무의미할 정도로 훌륭한 능력과 잠재력을 갖고 있다는 말이다.

나는 이 문제를 비교적 객관적으로 판단할 위치에 있다고 생각한다. 한국과 외국의 교육과정을 거쳐 대학에서 교편을 잡았고, 그동안 다양한 배경의 학생들을 만날 수 있었다. 이들의 학습능력과 연구성과로 출신 대학의 '수도권'과 '비수도권' 여부를 짐작하는 것은 불가능했다.

언제부터인가 한국 정부와 기업은 '한국의 스티브 잡스' 양성 계획에 여념이 없다. 어리석은 짓이다. 한국에서 잡스 같은 인재가 나올 수 없어서가 아니라 양성하지 않아도 이미 존재하기 때문이다. 학벌과 배경에 눈이 먼 사회가 이들을 알아보지 못할 뿐이다.

나는 '지방대'라는 말을 없애는 것이 한국 사회에 포진한 인재들을 발굴하는 첫걸음이라고 믿는다. 그리고 궁극적으로는 학교 졸업장이 있든 없든 능력에 따라 기회를 누릴 수 있어야 한다고 믿는다. 학교 서열화를 주장하는 이들이 내세우는 것은 '경쟁원리'다. 그러나 우리에게 필요한 것은 능력경쟁이지 학벌경쟁이 아니다.

학교 서열화는 도리어 경쟁을 저해한다. 소수의 '특권계층'에 속한 학교들은 교육의 질로 경쟁하기보다는 '이름 장사'를 하면서 학생 선발만으로 권력을 유지하려 들기 때문이다. 반면에 부당하게 낮은 대접을 받는 학교들은 경쟁 의욕 자체를 잃기 쉽다. 아무리 훌륭한 교육을 시켜도 졸업생들이 제 능력을 인정받지 못한다면 기운이 빠지지 않겠는가?

"1명의 인재가 10만 명을 먹여 살린다"는 '엘리트론'으로 유명한 기업 총수가 있다. 그리고 그 기업에 속한 이사 한 명이 공개적으로 고교평준화를 비판했다. 그는 "평준화 제도는 말도 안 되는 소리"며, "평준화 체제 속에서는 우수 인재를 기를 수 없다"고 단언했다. 누구든 자신의 견해를 말할 권리가 있다. 하지만 사실은 분명히 밝혀야 할 것 같다.

인재를 몰라보는 학벌 사회

평준화된 한국 초·중·고등학생들의 학업성취도는 전 세계에서 수위를 다툰다. 국제적으로 가장 경쟁력이 떨어지는 곳은 오히려 대학이다. 한국교육개발원의 2009년 12월 연구보고서를 보아도 이 점은 분명히 드러난다. 보고서가 밝히고 있듯, '초·중등교육의 문해력, 수학, 과학 등의 성취도는 가히 세계적인 수준'인 반면, "대학 경쟁력은 아직 밑에서 세는 것이 빠를 정도로 낮은" 실정이니 말이다.

다시 말해, 가장 서열화된 고등교육 단계가 가장 경쟁력이 낮은 것이다. 한국에서 초·중등교육이 '상향 평준화'된 반면, 고등교육은 심각한 '하향 서열화'의 길을 걸어온 셈이다. 이는 우리나라에서 정말 경쟁이 필요한 곳은 초·중·고등학교가 아니라 대학임을 말해준다. 대학들 사이에 경쟁을 유도하는 방법은 출신학교 이름 프리미엄이 아니라 졸업자들의 능력대로 기회를 주는 것이다. 이를 위해 필

■

다양한 개성을 지닌 대상들을 하나로 묶는 행위는 모멸과 차별의 의미를 갖는다. 한국에서 흔히 쓰이는 '지방' 이라는 말은 인종차별적 표현인 '유색인종' 과 비슷하다.

ⓒ 강인규

요한 것은 학벌 사회의 폐지다.

말이 나온 김에 한마디 더 하자면, 앞의 이사님은 자신의 회사나 먼저 걱정하는 게 좋을 것 같다. 경쟁이 중요하다고 하면서도 정작 그 기업의 총수는 능력경쟁이 아니라 유전자 친밀도로 기업을 물려주고 있으니 말이다. 게다가 평준화 체제 속에서 교육받은 그 '비인재'에게 말이다.

혁신과 창의성의 소멸

'지방대'는 소수의 몇몇 대학 편에 서서 더 많은 국민이 공부하는 배움의 터전을 차별하고 모욕하는 행위다. '지방대'라는 언어는 일차적으로 지시 대상을 억압하지만, 그 피해는 '수도권대'를 비롯해 사회 전체에 돌아간다. 실력을 갖춘 이들이 제대로 사회에 이바지할 기회를 누릴 수 없다는 것도 국가적 손실이지만, 문제는 여기서 그치지 않는다.

한국은 학교든 기업이든 개인이든, 서울 안에 존재하는 것 자체를 특권화하는 경향이 있다. 이를 통해 우리가 얻는 것은 심각한 집중화, 위계화, 획일화다. 가까운 일본도 비슷한 문제를 겪고 있다. 집중과 위계가 다양한 생각을 빼앗아 감으로써 한 사회를 '일본주식회사'라는 일사불란한 단일조직으로 만들어버린 것이다. 그 결과 나타난 것이 혁신과 창의성의 소멸이었다.

믿기 어려울지 모르나 한국의 상황은 일본보다 훨씬 심각하다. 프랜시스 후쿠야마는 《신뢰(*Trust*)》라는 책에서 일본과 한국의 기업문화를 비교한다. 이 분석에 따르면, 한국 대기업은 과거 일본의 재벌(자이바쓰)을 모델 삼아 출발했으나, 그보다 훨씬 집중적이고 위계적인 기업문화를 만들어냈다.

후쿠야마는 유교적 혈통주의를 그 원인으로 꼽는다. 한국 기업은 아버지를 수장으로 하는 위계적 가정을 사회적으로 확장한 형태다. 일본은 전체의 합의를 중시하기 때문에 개인이 조직과 다른 목소리를 내기 어렵다. 반면에 한국은 경영자 개인이 혈통의 권위에 힘입어 조직 전체에 막대한 권력을 행사한다. 일본과 달리 한국은 조직이 개인과 다른 목소리를 내기 어려운 구조인 것이다.

《뉴스위크》는 2008년 2월 25일자 기사에서 '애플이 일본에서 만들어질 수 없었던 이유'를 분석했다. 기사는 획일화된 기업문화로 인해 혁신이 불가능하다는 점을 지적했다. 그리고 이에 비견되는 '예외적 사례'로 닌텐도를 들었다. 사용자의 신체 움직임을 감지하는 '모션 컨트롤'을 처음 도입한 게임기 위(Wii)나, 안경 없이 3차원 시각효과를 내는 3DS 등 비디오 게임의 혁신을 주도해온 회사다.

소니, 도코모, NEC 등 혁신을 주도하던 일본 기업들이 과거의 유물이 되어가는 상황에서 닌텐도는 어떻게 창의성을 유지할 수 있었을까? 《뉴스위크》가 분석한 이유는 간단하다. 회사가 '도쿄에 있지 않기 때문'이라는 것이다. 도쿄에서 멀리 떨어진 교토에 본사를 두고 있기 때문에, 획일화된 '주류 기업문화'에서 벗어나 독자적 기술 개발과 경영방식을 구축할 수 있었다.

이런 '아웃사이더' 정체성이 풍요로운 문화적 전통과 결합하여 교토를 창의와 혁신의 새 메카로 만들었다. '주류 문화' 로부터 거리를 둠으로써 혁신 도시로 부상한 곳은 교토만이 아니다. 미국 실리콘밸리 역시 동부의 대도시를 벗어나 서부의 자연 속에 둥지를 틂으로써 성공을 일굴 수 있었다. 수도와 대도시에서 벗어나는 것은 상식화되고 통념화된 관료주의, 부패, 위계질서로부터 벗어나는 것을 의미하기 때문이다.

'아웃사이더'의 힘

최근 한국의 정보통신업계에는 '실리콘밸리 흉내 내기' 가 유행이다. 회사를 학교처럼 잔디 깔린 '캠퍼스' 로 조성하고 사원들의 자유로운 복장을 허락하는 것이다. 이것도 좋은 일이지만 더 중요한 것은 자유로운 사고를 배우는 것이다. '캠퍼스 문화' 의 핵심은 잔디나 청바지가 아니라 주류 문화를 거부하는 저항정신에 있기 때문이다. 실리콘밸리가 1960~70년대 저항운동의 온상이었던 캘리포니아에 자리 잡은 것은 우연이 아니다.

교토와 실리콘밸리의 또 다른 공통점은 대학의 분방한 정신 속에서 성장해왔다는 점이다. 두 곳은 실질적 의미에서도 '캠퍼스' 인 것이다. 잘 알려져 있듯, 교토는 자유로운 학풍의 교토대학교, 그리고 실리콘밸리는 캘리포니아대학교-버클리, 스탠퍼드대학교, 새너제이주립대학교처럼 진보적인 학교들의 세례를 받았다. 여기서 중요한 것은 학교가 기업을 움직여야지 기업이 학교를 움직여서는 곤란하다는 점이다.

현재 교토는 '창의경영 연수'를 온 한국의 대기업 임원들로 붐빈다. 이 역시 좋은 일이지만, 더 현명한 것은 한국 곳곳에 직접 교토를 만드는 것이다. 사실 이미 존재하고 있기 때문에 만들 필요도 없다. 서울에 자리 잡은 정부기관, 학교, 기업들이 '지방'으로 무시해온 유서 깊은 도시들 말이다. 그곳에 투자하고 그곳에서 자라나 교육받은 사람들을 과감히 채용해보라. 그 기업들이 혁신에 성공하지 못한다면 그게 더 이상한 일이다.

앞의 《뉴스위크》 기사는 일본 주류 기업의 미래를 낙관하지 않았다. 이제 일본은 미국뿐 아니라 전 세계 곳곳에서 쏟아져 나올 혁신과 경쟁해야 하기 때문이다. 《뉴스위크》는 '애플을 만들지 못한' 일본에 다음과 같은 조언을 하며 기사를 끝맺었다.

"일본이 혁신을 원한다면 기술뿐 아니라 자신의 모습에 대해서도 생각해봐야 한다."

우리도 자신에 대해서 생각해볼 때가 왔다. 못난 사람들이나 남을 차별하면서 즐거워하는 법이다. 차별의 근거가 희박하다면 더욱 그렇다. 그 행위가 스스로의 목을 죈다면 더더욱.

국산 스마트폰과 공동체형 인간

약자를 돕는 것은 좋은 일이다. 왜 좋은 일인가. 우선, 사람다운 일이기 때문이다. 배려가 필요한 이를 돌보는 행동은 영장류를 하등 동물과 구분하는 몇 안 되는 특징 가운데 하나다.

둘째, 누구든 약자가 될 수 있기 때문이다. 당신이 어제까지 존경받으며 멀쩡히 거리를 활보했는데, 오늘 걷지 못하게 됐다고 해서 내일부터 평생을 무시와 편견 속에서 지내야 한다고 생각해보라. 약자를 배려하는 것은 당신이 어떤 모습으로 존재하든 사람대접을 받고 싶다는 의지의 표현이다.

셋째, 원하지 않아도 해야 하는 일이기 때문이다. 인간은 모두 평등하다. 대한민국 헌법 제10조는 "모든 국민은 인간으로서의 존엄과 가치를 가지며, 행복을 추구할 권리를 가진다"고 분명히 말하고 있다. '약자'라는 말은 '열등한 사람'을 뜻하지 않는다. 모든 인간이 법과 신 앞에 평등한데, 어떻게 '열등한 사람'이 있을 수 있는가. 약자란 어떤 이유로 마땅히 누려야 할 권리를 누리지 못하고 있는 사람들이다. 따라서 이들이 불편 없이 행복하게 살도록 돕는 한편, 사회에서 평등한 권리를 누릴 수 있도록 함께 요구하고 싸워가야 한다.

결국 남을 돕는 것은 사람다운 일이고, 궁극적으로 자신을 위한 일이며, 당연히 지켜야 할 법적 · 도덕적 의무를 지키는 일이다. 이것만으로도 발 벗고 나설 이유가 충분하다. 여기에 덤으로 따라오는 '보너스' 도 있다. 타인에 대한 배려가 창의력을 높이고 다른 방식으로는 생각지도 못한 기술개발의 기회까지 준다. 한국 사회가 좋아할 방식으로 표현하면 이것이 '돈도 되는 일' 인 것이다.

바꿔 말하면, 이제 타인에 대한 배려가 없는 사회는 경쟁력도 없고, 그 좋아하는 돈을 벌 가능성도 희박해진 것이다. 여기에 비인간적이고, 부도덕하고, 탈법적인 사회라는 비난도 동시에 받아야 한다. 자초해서 모든 것을 잃는 어리석은 사회가 아닐 수 없다.

약자를 배려하는 기술

뇌파를 이용한 게임을 해본 일이 있는가? 그런 기술이 있다는 이야기조차 들어보지 못했다면, 위에서 말한 '어리석은 사회' 에 살고 있을 가능성이 높다. 손을 쓰지 않고도 고개를 끄덕이는 것만으로 입력과 조작이 가능한 컴퓨터 장치는 이미 오래전에 나와 있다. 최근에는 뇌파를 이용해 게임을 하거나 관람 중인 영화 줄거리를 바꿀 수 있는 기술까지 등장했다.

무료 공개 프로그램인 '프리트랙(FreeTrack)'은 머리 움직임만으로도 게임을 즐길 수 있게 해준다. 별도의 장비 없이 일반 웹캠에 무료 소프트웨어만 내려받으면 된다. '모든 이를 위한 무한자유도(All Degrees of Freedom for Everyone)'라는 제품 철학이 말해주듯, 자판이나 마우스가 필요 없는 이 '무접촉' 입력 기술은 신체가 불편한 장애인들을 위해 개발되었다.

미국 뉴로스카이(NeuroSky)사와 영국 이모티브(Emotiv)사의 뇌파 입력장치는 손가락이나 머리털 하나 움직이지 않고도 하드웨어와 소프트웨어 모두를 통제할 수 있게 해준다. 헤드폰에 설치된 전극이 사용자 뇌파의 패턴을 분석해 다양한 명령신호로 바꿔주기 때문이다. 뉴로스카이의 공동창립자이자 최고경영자인 스탠리 양(Stanley Yang)은 이 뇌파 탐지 플랫폼에 대해 이렇게 말했다. "많은 연구자들이 우리 기술을 이용해, 자판을 쓸 수 없거나 몸을 움직일 수 없는 사람들에게 컴퓨터로 세계와 소통할 수 있는 길을 열어주고 있습니다."

뇌파를 이용한 인터페이스(BCI)는 물리적 입력장치를 쓰기 어려운 사람들을 위해 만들어진 기술이지만, 기술의 활용도는 무궁무진하다. '뉴로보이(NeuroBoy)'라는 게임은 생각만으로 자동차를 눈앞으로 끌어당길 수도 있고 공중으로 들어 올릴 수도 있다. 원하면 주의를 모아 차에 불을 붙여 폭파할 수도 있다. 가벼운 물건은 쉽게 들어 올릴 수 있지만, 크고 무거운 물건을 움직일 때에는 더 큰 집중력이 필요하다.

같은 원리를 적용한 '마인드플레이(MyndPlay)' 영화도 주목할 만하다. 영화를 감상하는 사람의 의지에 따라 이야기의 흐름이 바뀌는 것이다. 이미 시중에 공개된 〈파라노말 마인드(Paranormal Mynd)〉는 세계 최초의 '영화-관객 상호작용 영화'다.

이 영화에서 관객들은 단순한 구경꾼을 넘어 이야기를 이끌어가는 주역이 된다. 겁에 질린 표정의 남자가 당신을 향해 이렇게 말한다. "선생님, 와주셔서 고맙습니다. 제 여자 친구 레이첼이 이상해요."

당신은 여자 속의 악령을 내쫓는 '엑소시스트'로 초대받는다. 관객이 주의를 집중해 귀신을 물리치지 않으면 등장인물은 한 명씩 죽음을 맞게 된다. 영화는 관객의 '업무 수행도'에 따라 다양한 방식으로 전개된 후 세 가지 다른 결말로 끝을 맺는다.

전통적 영화 규칙에 따르면 인물은 카메라, 즉 관객의 시선을 의식할 수 없게 되어 있다. 하지만 뇌파를 이용한 '상호작용 영화'라는 새 형식에서 기존의 영화 규칙은 여지없이 깨어진다. 이와 더불어 영화와 게임의 경계도 무너지고 만다.

뇌파 인터페이스가 가상의 공간에서만 쓰이는 건 아니다. 벌써 꽤 오래전에 '염력'을 이용해 물체를 움직이는 '마인드플렉스(MindFlex)'가 등장했다. 이 장난감은 바비 인형으로 유명한 마텔사가 2009년 가을에 선보였다. 사용자가 정신을 집중하면 바닥에 놓인 공이 천천히 공중으로 떠오른다.

원리는 이렇다. 장치 아래쪽에 바람을 일으키는 팬이 있다. 집중력을 높이면 바람이 강해지고, 반대로 주의력을 떨어뜨리면 바람이 약해진다. 사용자는 마음 상태로 부력을 조절해 공을 움직여 다양한 장애물 사이를 통과시킨다. 이 신기한 장난감은 내놓기 무섭게 매진되는 선풍적 인기를 끌었다.

이제 뇌파 인터페이스는 단순한 놀이기구의 영역을 벗어나고 있다. 생각만으로 휠체어나 자동차의 방향을 바꿀 수 있는 기술이 개발되고 있으며, 이 기술의 활용은 지상뿐 아니라 우주항공 분야에까지 적용되고 있다. 몸이 불편한 사람을 돕기 위한 배려가 이처럼 놀라운 혁신의 기회를 제공한 것이다.

좋은 아이디어는 어떻게 얻는가

한 사회가 남을 얼마나 잘 배려하는지 보려면, 약자가 어떤 대접을 받는지 살펴보면 된다. 한국에서 장애인은 어떤 대접을 받는가? 이 사회에서 그들은 '존재하되 존재하지 않는 사람들' 이다. 어느 사회든 장애인은 전체 인구의 10~12%를 차지한다. 국민 10명 가운데 하나는 장애인일 수밖에 없다는 말이다.

길에서 마주치는 10명 중 1명이 장애인이 아니라면, 그들이 부당하게 감금되어 있음을 뜻한다. 장애인의 외출을 막는 무자비한 계단, 불편한 몸을 반기지 않는 대중교통, 그리고 무엇보다 그들을 거추장스럽게 여기는 이른바 '비장애인' 의 시선 때문에 말이다. 장애인들이 존재하지 않는 듯 가둬놓고 무시하는 사회가 이들과 소통하는 가운데 새로운 아이디어를 얻을 수는 없다.

최신 국산 스마트폰에 장애인을 위한 어떤 편의기능이 있는지 보라. 한국의 통신기술에 장애인은 전혀 고려의 대상이 아니다. 한국 통신사들은 해마다 '시각장애인 전용 휴대폰' 기증 행사를 연다. 좋은 일이다. 하지만 장애인과 통신사 자신을 더 잘 배려하는 방법은 모든 휴대폰을 장애인이 쓸 수 있게 만드는 것이다. 애플처럼 말이다.

아이폰과 아이패드를 포함해 애플의 모든 제품은 장애인 접근기능을 기본으로 탑재하고 있다. 예컨대 애플 운영체제는 모두 '보이스오버(VoiceOver)' 기능을 갖추고 있다. 화면상의 모든 메뉴, 파일, 문서를 음성으로 바꾸어 읽어주는 것이다. 시각장애인은 이 기능을 이용해 애플의 모든 기기를 어려움 없이 쓸 수 있다.

그 밖에 메뉴 글자 크기를 키우는 기능을 비롯해 말로 여러 시스템을 통제할 수 있는 '음성통제(Voice Control)' 장치까지 갖춰져 있다. 아이폰은 '시리(Siri)'가 나오기 전부터 음성지시로 전화를 걸고, 음악을 연주하고, 현재 시간도 확인할 수 있었다. 음악이 흐르고 있을 때 "누구 곡이냐?(Who sings this song?)"고 물으면 연주자, 작곡가, 노래 제목 등의 정보도 음성으로 알려준다. 구글의 '보이스 액션(Voice Actions)'도 비슷한 기능을 수행한다. 미국 기업들이 이렇게 장애인 배려에 적극적인 까닭은 무엇일까?

장애인에 관해 미국과 한국의 가장 큰 차이는 '눈에 잘 띈다'는 점일 것이다. 미국에서는 공공장소에서 장애인을 쉽게 만날 수 있다. 장애인들의 활동을 막는 물리적·심리적 장벽이 낮다는 말이다.

장애인보호법(ADA) 규정에 따라, 미국 기업들은 장애를 이유로 취업에 불이익을 줄 수 없다. 대중교통, 공공건물, 상업시설은 장애인이 어려움 없이 접근할 수 있게 보장해줘야 하며, 통신업체는 시각장애인과 청각장애인들이 통신기기를 문제없이 쓸 수 있게 해줄 의무가 있다. 장애인 배려는 원하지 않아도 해야 하는 법적 의무지만, 미국 사회에서는 자발적인 배려의 노력을 곳곳에서 볼 수 있다.

미국 어린이들은 '장애인을 차별하지 말자'는 수준을 넘어, 그들이 함께 삶을 누려갈 동료임을 배운다. 공영방송 만화영화 〈드래곤 테일〉에는 휠체어를 탄 캐릭터가 등장한다. '아메리칸 걸'이라는 인형 회사는 휠체어와 목발 등의 소품을 내놓고, 많은 어린이들이 이런 장난감을 갖고 놀면서 장애인이 특별한 존재가 아님을 배운다.

99%의 창의성을 죽이는 엘리트 사회

장애인과 더불어 사는 데 익숙한 미국인들이 그들을 적극적으로 배려하며, 그들과 더불어 창의적 아이디어를 얻는 것은 놀랄 일이 아니다. 〈좋은 아이디어의 사회적 기원〉이라는 논문을 쓴 시카고대학교의 로널드 버트 교수에 따르면, 창의적 발상은 다양한 배경을 지닌 사람들과 교류하는 데에서 나온다. 다른 처지에 있는 사람들에게 관심을 쏟는 사람이 자신의 틀을 쉽게 깰 수 있는 건 당연하다.

2011년 6월 《파퓰러 사이언스》의 '올해의 발명 대상' 수상작은 저렴한 기계식 의수였다. 수상자 마크 스타크는 이 분야의 전문가도 아니었다. 그저 팔 없는 친구를 위해 이 일에 뛰어들어 7년을 보냈다. 그의 발명품은 고가의 전자 의수를 구입할 수 없는 사람들에게 삶의 희망을 불어넣어줄 것이다. 스타크의 의수를 맨 먼저 사용하게 된 친구 데이브는 한 시간의 훈련 끝에 태어나서 처음으로 공을 잡을 수 있게 되었다.

한국 기업은 창의성의 위기를 겪고 있다. "1명이 10만 명을 먹여 살린다"느니, "상위 1%만을 위한 어쩌고저쩌고"를 읊어대는 한국 기업들의 창의성이 떨어지는 건 당연하다. 그들은 99%의 사람들에게서 얻을 수 있는 수많은 아이디어를 마다하고 있기 때문이다.

실제로 1명이 10만 명을 먹여 살린다면, 그 기업이 1명 말고 나머지 10만 명을 같이 고용할 이유가 있을까? 그 기업이 바보든지, '10만 분의 1 엘리트론'이 거짓이든지 둘 중 하나일 것이다.

서울에 살던 시절의 일이다. 동네에 맹아학교 설립 계획이 발표됐다. 그때 아파트 주민들이 길거리에 나와 '결사반대'를 외쳤다. 주민 대표는 흥분해서 이렇게 말했다. "맑고 밝은 것만 보고 자라야 할 우리 아이들 곁에 장애인 시설이 온다는 게 말이 됩니까?"

그 부모에게 '맑고 밝은' 건 장애인들과 더불어 사는 게 아니라, 마치 그들이 존재하지 않는 듯 무시하며 사는 것이었던 모양이다. 불현듯 궁금해진다. 그 '맑고 밝은 것만 보며 자란' 자식들은 지금 어떻게 성장했을까? 잘은 모르겠으나, 한 가지는 분명한 것 같다. 그들 부모의 방식대로 '맑고 밝게 자란' 자식들이 한국의 현재와 미래를 매우 흐리고 어둡게 만들고 있을 거라는 사실 말이다. 물론 그들이 상위 1%를 차지하고 있을 가능성은 매우 높겠지만.

3장

망가진 교육

가치관이 배제된 교육은
사람을 영리한 악마로 만들 뿐이다.

C.S. 루이스
C. S. Lewis

스티브 잡스가 한국 입시생이었다면

나는 한국의 교육제도를 비교적 잘 아는 편이다. 첫 '논술 세대' 로서 수많은 입시제도의 변화를 몸으로 겪은 피해자이기도 하고, 이후에는 입시학원 강사로서 학생들을 괴롭히는 '가해자' 역할을 해보기도 했다.

중학교는 비교적 인간적인 분위기의 공립학교를 다녔고, 고등학교는 '명문대 입학' 이 유일한 교육철학인 사립학교를 나왔다. 이 '명문고' 는 음악·미술·체육 시간을 모두 국어·영어·수학 수업이나 자습으로 대체했고, 수학여행도 보내지 않았으며, 평일 밤늦게까지 전교생들을 잡아두는 것은 물론, 주말과 휴일에도 불러내어 '자율학습' 을 시켰다.

학생들을 웃으며 때리는 것으로 유명했던 한 교사는 이렇게 말하곤 했다. "뜨는 해를 안고 등교하고, 지는 달을 안고 귀가하니 이 얼마나 멋진 일이냐?" 세월은 대책 없는 낙관론자여서 돌이킬 엄두도

내지 못할 고통스러운 경험조차 '추억'으로 바꾸어놓곤 한다. 하지만 나의 고등학교 시절은 세월의 미화 작용조차 손을 쓸 수 없는 악몽의 영역으로 남아 있다.

'창의적 회사' 명함도 못 내밀 한국 기업

나는 간혹 고등학교 때로 되돌아가는 꿈을 꾸다 깨어난다. 교사들의 폭언과 구타는 어제 일처럼 생생하며, '학력 제고……'라는 말로 시작되던 교장 선생님의 근엄한 훈시는 지금도 환청처럼 들려온다. 하지만 고등학교 시절에 가장 고통스러웠던 것은 공포를 자아내던 교실의 체벌도, 현기증 나던 운동장의 조회도 아니다.

가장 안타까운 것은 즐겁게 사색하며 창의적으로 공부할 수 있던 시간들을 무의미한 '정보 쑤셔 넣기'로 허비했다는 사실이다. 다시는 돌아오지 않을 아까운 젊은 날을 말이다. 시험 한 번이면 날아갈 그 휘발성 암기를 위해서.

'청소년 시절은 대입을 위해, 대입은 취직을 위해, 취직은 승진을 위해…….' 우리는 이와 같은 목표 지향적 사고에 익숙하다. 하지만 초·중·고등학교 시절은 '예비인생'이 아니라 그 자체로 소중하게 누려야 할 삶의 과정이다. 한국인의 턱없이 낮은 행복지수는 과정을 과정으로 누리지 못하게 만드는 사회구조가 낳은 비극이다. 잠시 서서 숨 쉴 틈도 주지 않는 이 사회가 성공적으로 양산하는 것은 임종 침상에서 느끼는 덧없는 후회뿐이다.

그러나 더 한심한 것은 이런 무의미한 입시교육이 개인은 물론 한국 사회에도 보탬이 되지 않는다는 것이다. '그냥 보탬이 안 되는' 정도가 아니라 한국의 미래를 어둡게 하고 있다.

2011년 《포브스》는 세계에서 '가장 창의적인 회사(Most Innovative Companies)' 100개를 뽑았다. 놀랍게도 이 가운데 한국 기업은 단 하나도 포함되어 있지 않다. 과거에는 기업의 자산이나 매출 규모가 기업을 판단하는 주요 기준이었다. 그러나 최근 들어 창의력이나 혁신을 기업의 미래를 예측하는 핵심 잣대로 보고 있다.

공룡처럼 군림하던 거대기업들이 하루아침에 도산하는 오늘의 기업환경에서 당연한 일일 것이다. 덩치 큰 기업들보다 아마존, 애플, 구글, 닌텐도 등 '영리한' 기업들에 재계의 이목이 집중되는 이유가 여기에 있다. 《포브스》가 꼽은 창의적 기업은 애플, 구글, 스타벅스, 어도비, 코닝, 도시바 등이다. 함께 발표된 '평판 좋은 기업 10' 에도 한국 기업은 단 하나도 이름을 올리지 못했다.

도시바, 로레알, 스타벅스 등이 포함된 목록에 한국의 유수 기업이 명함도 못 내밀었다는 사실은 의미심장하다. 《포브스》 기업 순위는 한국 경제의 미래를 짐작할 수 있는 시금석이자, 한국 입시교육이 지닌 문제점을 고스란히 드러내는 지표라고 하지 않을 수 없다.

다음 글에서 자세히 말하겠지만, 취업에서 강요되는 영어 공부로 인해 대학생들이 전문지식을 쌓지 못한 채 사회로 나가고 있다. 영어가 필요하지도 않고 어학에 재능이나 관심이 없는 사람에게조차 무차별적으로 영어능력을 강요함으로써 한국의 경쟁력이 도리어 저하된다는 이야기다. 이처럼 영어학원화한 대학교에 들어오기 전, 학생들이 거치는 고등학교 과정은 창의력이나 비판적 사고를 키울 수 없는 획일적인 입시교육이다.

이런 한국 교육제도에서 경쟁력 있는 사람이 길러지리라 기대하는 것이 현명한 일인가? 놀랍게도 '경제대통령' 을 표방하고 집권했던 이명박 대통령은 경쟁체제의 입시교육을 확대하고 강화하며 임기를 보냈다. 학생 당사자와 사회 모두에 도움이 되지 않는 이 '미친 짓' 을 되풀이한 것이다.

대입, 취직, 승진을 위해

초등학교부터(요즘은 유치원부터) 고등학교까지 모든 교육과정을 지옥으로 만들 때 이익을 보는 쪽은 자신들의 무능을 '선발' 로 만회하려는 대학들의 알량한 자존심뿐이다. 대입에 종속된 고등학교는 대학들의 기 싸움에 놀아나지 않을 수 없으며, 이 과정에서 학원은 돈을, 정치인들은 경쟁체제에 매몰되어 정치의식을 잃은 '순한 국민' 을 부산물로 얻는다.

세계적으로 경쟁력 없기로 잘 알려진 한국의 대학들은 수학능력의 차이가 없는 우수한 고등학생들을 시험제도만 바꾸어 괴롭히고 있다. 대학과 교육 당국이 입시제도를 1년이 멀다 하고 바꾸는 것은 자신들에게 '변별력' 에 대한 아무런 합리적 기준이 없음을 말해주는 것이다. 한국의 이른바 '명문대학' 들은 기껏해야 '세계 100대 대학' 을 자랑스러운 장기 목표로 내세우지만, 한국의 고등학생들은 세계

■

한국 사회는 청소년들에게 목표 중심적 사고를 강요한다.
하지만 초·중·고등학교 시절은 진학을 위한 '예비인생' 이 아니라
그 자체로 소중하게 누려야 할 삶의 과정이다.

ⓒ 유성호

에서도 수위를 다투는 인재들이 아닌가.

외국의 유수 대학에서 뛰어난 성과를 거두는 한국 학생들의 출신 학교를 조사해보면 한국을 지배하는 '명문대' 와 '비명문대' 라는 구분이 얼마나 근거 없는 허구적 기준인지를 알 수 있다. '시장 지배자' 로 군림하는 일부 대학들이 소비자들을 좌우하는 상황은 '자유시장 경제체제' 에도 어긋나는 일이다. 입시제도 개혁은 선택권을 학생들에게 돌려줌으로써 현재의 '공급자 시장' 을 소비자 시장으로 바꾸어놓는 것이다.

이를 위해 필요한 것은 학위가 아니라 개인의 능력에 따라 기회를 주는 사회를 만드는 것이다. 학력 차별을 성 차별이나 장애인 차별처럼 야만적인 행위로 간주할 수 있을 때에야 한국 교육은 비로소 제자리를 찾을 것이다.

대학에 갇힌 창의적 인재들

창의적인 기업으로 평가받는 곳의 최고경영자들을 보라. 애플을 이끌다 타계한 스티브 잡스, 마이크로소프트의 빌 게이츠, 페이스북의 마크 주커버그. 이들의 공통점은 대학 졸업장이 없다는 사실이다. 최근 하버드대학교가 빌 게이츠에게 명예학사 학위를 주긴 했지만, 그는 대학을 스스로 그만둔 후 돌아가지 않았다.

특히 아이팟과 아이폰, 맥북 에어 등을 내놓으며 '창의적 기업' 의 대명사가 된 애플의 창립자이자 최고경영자였던 스티브 잡스를 보

자. 그의 학력은 대학을 한 학기 다니다 중퇴한 것이 전부였다. 그런 그가 대학에서 들었던 수업 중 가장 기억에 남는 것으로 무엇을 꼽았을까? 바로 청강으로 들었던 서예(calligraphy) 수업이었다. 그는 다양한 손글씨에 매료되었던 경험을 토대로 매킨토시의 예쁜 글자체를 개발한다.

잡스는 학교를 그만두고 회사에서 돈 몇 푼을 모아 인도를 방랑하며 돌아다니다가 삭발을 하고 미국으로 되돌아왔다. 한국적 기준으로 보면 '엘리트'나 '모범생'과 거리가 먼 대책 없는 백수였던 셈이다. 그러나 그는 이 시기가 오늘날 자신을 만든 중요한 계기가 되었다고 말하곤 했다.

스티브 잡스가 한국의 입시제도를 거쳐 대학교를 나왔다면 오늘날 우리가 아는 그가 될 수 있었을까? 그가 한국에서 대학을 중퇴했다면 삼성이나 엘지의 최고경영자가 될 수 있었을까? 그가 한국 기업에 입사했더라도 지금 내 주머니 속에 아이폰이 들어 있을 수 있을까?

한 가지 사실은 분명한 것 같다. 중공업경제 시대의 낡은 교육을 받은 '불도저 세대'들이 재기발랄한 '스마트폰 세대'를 가르치고 그들의 교육제도를 입안하고 있다는 것이다. 과거가 미래를 억누르는 것, 이것이 한국의 비극이다.

영국에서 대학을 졸업하고 한국에서 오랫동안 영어를 가르친 앤드루라는 친구가 있다. 유치원생부터 대학생까지 안 가르쳐본 학생이 없는 친구가 술자리에서 조심스레 말을 꺼냈다.

"참 이상해."

"뭐가?"

"난 고등학교 시절에 놀면서 대학에 들어갔고, 내 친구들도 다 그래."

"그런데?"

"한국 사람들은 유치원부터 고등학교까지 들들 볶이는데, 대학생들을 놓고 보면 영국 학생들보다 더 똑똑한 것 같지 않아."

할 말이 없었다. 무슨 말을 해야 하나 생각하며 술잔에 무안한 입을 대는 순간 친구가 한마디 보탠다.

"결국 똑같아질 거라면 차라리 놀리는 게 낫지 않아?"

제발 아이들을 놀게 하라

꽤 오랜 세월이 지나 그 친구와는 연락이 끊어졌고, 나는 그 지겨운 공부를 업으로 하는 신세가 되었다. 그사이 한국은 아이들이 더욱 못 노는 세상이 되었다. 많은 학생들이 한국의 학교를 떠나는 이유는 그곳이 즐겁지 않기 때문이다. 이처럼 당사자와 부모를 괴롭히고, 사회적으로도 도움이 안 되는 어리석음을 왜 되풀이해야 하는가?

가끔 내가 사는 미국의 대학 도시에 '기러기'라는 이름으로 어린 자녀들을 데리고 오는 부모들을 만나곤 한다. 이곳에서 머물다 한국으로 돌아가는 아이들은 대개는 매우 고통스러워한다. "지옥 같은 한국의 학교로 돌아가고 싶지 않다"는 것이다.

제발 학교를 즐겁게 창의력을 키울 수 있는 공간으로 만들라. 이제는 그것이 '경쟁력'이고 '실용'이다. 아이들이 즐겁게 노는 게 왠지 불안하고 불편한가? 그것은 당신의 두뇌가 낡은 경제체제, 낡은 교육제도의 산물임을 보여준다. 구글이나 픽사처럼 소비자의 마음을 통째로 사로잡는 회사에 가보라. 이 회사들의 공통점은 노는 것과 일하는 것이 구분이 안 되는 공간이라는 점이다.

자유로운 상상력이 숨 쉴 수 있게 해주는 것, 그것이 바로 현대 경제의 기반이고 교육의 미래다. 제발 아이들을 놀게 하라. 그것이 아이들과 한국 사회 모두를 살리는 길이다.

'영어병'이 경쟁력을 떨어뜨린다

나는 현재 영어를 모국어로 쓰는 나라에 살고 있다. 방학 때 한국에 돌아가서 친척들을 만나면 가끔 당혹스런 주문을 받는다. "영어 좀 해봐."

물론 이때 내가 할 수 있는 거라곤 웃으며 머리를 긁는 일이다. 영어 좀 해보라는 말에 어떻게 달리 반응할 수 있겠는가? 물론 나는 그 말에 담긴 친척들의 마음을 따뜻하게 받아들인다. 이 말에는 한국에서 태어나 자란 놈이 외국에서 공부하고 가르치는 것을 신기하게 여기는 순박함이 담겨 있기 때문이다. 그러나 이것이 국가 정책이라면 이야기는 달라진다.

외국어를 잘하지 못하고, 이를 실생활에서 사용할 기회가 없는 사람들일수록 외국어의 중요성을 과장하는 경향이 있다. 그들은 이렇게 말한다. "세계화 시대에 외국어는 필수고, 영어는 국제어다."

이런 말을 들을 때마다 항상 궁금하다. 우리 노부모가 문화센터에서 영어를 배우는 게 한국의 세계화에 어떤 도움이 될까? 그래픽 디자이너인 형과 화학자인 여동생이 시간을 쪼개어 회화학원에 등록하고 토플시험장에 앉아 있는 것이 한국의 산업경쟁력에 어떤 기여를 하는 것일까?

영어 몰입 사회의 실체

만약 영어를 잘하는 게 '세계화'(나는 아직도 이 말의 뜻을 모른다)에 필수라면, 지도자들부터 그래야 한다. 대통령·총리·장관·국회의원 등 고위공무원들은 국가의 운명을 좌우하는 사람들이다. 이들이 한국을 세계무대의 선두에 세우겠다고 주장하는 사람들인 만큼, 가장 우선적으로 영어 실력을 갖춰야 한다.

기업 총수들은 세계시장에서 기업의 향방을 결정하는 사람들이다. 이들이 다른 사원들에 앞서 '세계화 마인드'를 갖추어야 함은 물론이다. 그러나 기업 총수들이 모여서 영어로 회의를 했다는 이야기는 한 번도 들어본 적이 없다. 이들이 그 흔한 토플시험 한번 봤다는 이야기조차 들리지 않는다. 외국 기업인의 얼굴조차 볼 기회가 없는 말단사원들에게도 높은 토익점수를 요구하는 기업들이 이래서는 곤란하다.

한국의 지도자들은 스스로 영어 실력을 갖추고 있지 못하면서도 다른 이들의 능력을 영어로 평가하는 모순적인 태도를 보인다. 기업 총수들은 사원을, 정치인들은 국민을 상대로 말이다. 왜 자신들은 영어 없이도 '세계화'의 선두에 서면서, 그들보다 나은 외국어능력을 갖춘 국민들에게는 더욱 높은 잣대를 강요할까? 본래 자기가 못하는 것을 남에게 시키기는 쉬운 법이다.

대학원에 진학하기 전, '세계화'를 모토로 내세운 기업에서 1년 넘게 일한 적이 있다. 회사에 들어가기 위해서 높은 영어시험 점수를 받아야 했던 것은 물론이고, 영어로 면접까지 봐야 했다. '국제화 업무'를 맡길 사원들을 특별 선발한다는 것이었다. 하지만 입사 후 영어를 써먹을 기회는 딱 한 번, 전사적으로 치르는 토익시험 때뿐이었다. 듣기평가를 위해 스피커에 신경을 집중하고 있을 때, 내 앞에 앉아 있던 본부장의 모습이 눈에 들어왔다. 그는 미리 답을 써놓고 책상에 엎드려 자고 있었다.

이명박 정부는 인수위원회 시절부터 영어교육을 공교육 차원에서 확대하겠다고 강조했다. 그 말을 듣고 머리에 떠오른 것은 곤히 잠든 본부장의 뒷모습이었다. 그 사람은 그나마 나은 편이다. 적어도 시험은 같이 치렀으니 말이다.

이명박 대통령은 후보 시절 "국어와 국사를 영어로 가르치면 도움이 될 것"이라고 말한 바 있다. 인수위의 영어교육 강화 방안이 대통령의 철학과 궤를 같이했음은 물론이다. 더 나아가 '기러기아빠의 퇴출'을 목표로 초등학교부터 영어수업을 강화할 것이며, "영어로 강의할 능력이 없는 영어교사들은 과감히 퇴출시키겠다"고도 말했다.

그리고 이경숙 인수위원장이 '영어 몰입교육'의 선두에 섰다. "오렌지가 아니라 오륀쥐"라는 말로 유명해진 사람이었다. 그는 "영어를 한국어로 강의하는 게 말이 안 된다"며 포문을 열었다. 영어를 한국어로 강의하는 게 말이 안 된다면, 한국어와 국사를 영어로 가르치는 것도 말이 안 되어야 정상 아닌가. 당시 인수위는 반발에 부딪혀 한발 물러서는 듯했지만, 이명박 정부는 임기 내내 영어를 공교육과 사교육 전 영역으로 확대했다.

포퓰리즘적인 영어교육 강화정책

이명박 정부의 영어교육 강화정책은 다분히 '포퓰리즘' 적이었다. 국민들이 영어로 곤란을 겪는 상황에서 이들의 고민을 덜어야 한다는 실용적 측면도 지니고 있었다. 그러나 생각해보라. 영어로 국민을 괴롭히고 있는 주범이 누구인가? 정부와 기업이다. 이들이 영어에 관심도, 필요도, 재능도 없는 사람들에게까지 영어능력을 무차별적으로 강요하면서 발생한 일이다.

지식과 기술 없이 영어만 잘해서 성공한 나라를 본 일이 있는가? 일본은 한국보다 대중의 영어 실력이 더 낮은 나라다. 그러나 일본 상품과 대중문화는 세계적인 경쟁력과 영향력을 발휘하고 있다. 서유럽과 북유럽이 자랑하는 생산성 역시 영어 실력으로 길러진 것이 아니다. 그러나 한국의 현실은 어떤가? 모든 국민들이 자신의 전공과 직업에 상관없이 영어 학습에 내몰리고 있다.

얼마 전 한국의 한 대학도서관을 방문했을 때, 10여 년 전과 다름없이 책상 위에 '토플' 과 '토익' 등 영어시험 준비서와 어휘집이 널려 있는 것을 보았다. 학생들이 자신의 전공 분야에서 전문지식을 쌓지 않고 영어 단어나 왼다면 경쟁력은 길러질 수 없다. 학생 개인, 학교, 국가 모두가 말이다. '영어병' 으로 인한 경쟁력 상실은 기초학문의 붕괴에서 이미 드러나기 시작했다.

어쩌다 길에서 마주치는 외국인에게 길 안내를 하는 것이 공교육의 목표가 아니라면, 차기 정부는 영어교육을 우선순위로 내세운 교육정책을 거둬들여야 한다. 고등학교 교육의 목표는 영어를 잘하는 것이 아니라 공동체 생활에 필요한 인성, 교양, 지식을 쌓는 것이다. 이런 기본적인 교육 없이 영어 실력만 강조해서 얻을 수 있는 국가 경쟁력은 무엇인가?

외국어가 필요 없다고 주장하는 것이 아니다. 외국어는 중요하며 또 잘해야 한다. 문제는 영어를 공교육이라는 '전인교육' 차원에서 접근함으로써 불필요한 낭비를 낳고 있다는 것이다. 온 국민을 영어로 들볶으면서도 정작 잘해야 할 사람은 형편없는 실력을 갖춘 나라가 한국이다.

노무현 대통령이 미국의 럼즈펠드 전 국방장관을 접견한 적이 있다. "고된 여행이었을 텐데 건강해 보인다"라는 대통령의 인사에 럼즈펠드가 "저는 젊거든요(I'm young)"라고 답하자, 한국 정부와 언론은 "럼즈펠드, 한국어로 '안녕' 이라고 말해"라고 발표해 국민들을 즐겁게 해주었다. 한미 FTA 협상 관리들이 협상 직전까지 영어 공부에 분주했다는 것은 잘 알려진 사실이며, 외국 주재 기자들의 영어 실력 부족으로 인한 오류와 왜곡도 심각하다.

정부, 기업, 학교에서 일하는 사람들 가운데 외국어가 필요한 사람은 잘해야 하는 게 당연하다. 이들의 능력은 엄격한 평가를 받아

■

지식과 기술 없이 영어만으로 성공한 나라는 없다.
한국 정부와 기업은 적성이나 분야와 상관없이 모두에게 영어 학습을 강요함으로써
스스로 경쟁력을 떨어뜨리고 있다.

ⓒ 권우성

야 하며, 자신의 업무에 합당한 대접을 받아야 한다. 반면, 외국어가 필요 없거나 관심이 없는 사람들은 다른 능력과 기술을 계발할 수 있도록 돕고 배려해야 한다. 그러지 않고 영어라는 하나의 기술을 전 국민에게 무차별적으로 요구할 때 얻을 수 있는 것은 엄청난 사회적 스트레스와 낭비, 그리고 국가경쟁력 저하밖에 없다.

어설픈 영어, 어설픈 세계화

이명박 대통령이 서울시장이었을 때 '하이, 서울!(Hi, Seoul!)' 이라는 공식 표어를 채택한 바 있다. 자기가 자신에게 '안녕' 이라고 말하는 이 어색한 푯말이 외국인들에게 어떤 조롱거리가 되었는지 인터넷 검색으로 쉽게 확인할 수 있다. 물론 외국인의 시선에 특별히 더 민감할 필요는 없지만, 영어 표어를 채택할 때는 '세계화' 를 염두에 둔 것 같기에 하는 말이다.

서울시는 버스 정류장에서의 금연정책을 실시하면서 'Bus Stop Smoking(버스 정류장 흡연)' 이라는 영어로 다시 한 번 망신을 당했다. 중앙선거관리위원회는 대국민 홍보 포스터를 제작하면서 'Made (人) Korea' 라는 어설픈 재치를 자랑하여 공공기관들의 영어병 대열에 가담했다. 영어 실력 없는 교사들을 과감히 퇴출시킨다던 정부가 이런 어처구니없는 계획을 시행한 공무원들은 어떻게 처리했는지 정말 궁금하다. "선무당이 사람 잡는다"고 실력을 갖추지 못한 정부가 국민들에게 영어의 중요성을 훈계하는 모습은 보기 민망하다.

영어를 강조함으로써 얻는 또 다른 문제가 있다. 한국의 외교와 경제에 중요한 다른 외국어를 몰아내고 있다는 점이다. 과거 아랍에서 벌어진 피랍사건의 해결 과정에서, 해당 언어를 말할 수 있는 사람이 없어서 곤란을 겪은 이야기는 잘 알려져 있다. 부끄럽게도 비영어권 국가에 주재 중인 외교관 가운데 현지어를 못하는 사람들이 부지기수인 게 한국의 현실이다. 한국의 무지하리만큼 맹목적인 영어 추종이 한국의 외교관계마저 궁지에 몰아넣는 상황이 된 것이다.

한국의 지나친 영어 강조의 중심에는 미국이 자리 잡고 있다. 그러나 세계에서 외국어를 가장 못하는 것으로 알려졌던 미국인들은 이제 스페인어 배우기에 여념이 없다. 스페인어를 모국어로 하는 라틴아메리카인들의 빠른 인구 증가와 경제적 성장 때문이다. 스페인어의 영향력은 하루가 무섭게 커가고 있다. 이미 미국 내에서 스페인어만으로 생활할 수 있는 곳이 적지 않다.

한국 정부의 무지는 국제관계뿐 아니라 문화와 지식 교류에 필요한 다양한 외국어마저 천대하는 오류를 낳고 있다. 취업훈련소가 된 대학들은 영어 이외의 외국어 전공을 하나둘 없애고 있다. 이러다가는 과거에 유럽 동화 하나 직접 번역하지 못하고 일본어판을 한국어로 다시 옮겨야 했듯이, 앞으로 외국문학을 영어나 일어 중역판으로 읽게 될지도 모르겠다. 역사가 항상 미래로 흐르지는 않는 모양이다.

정말 온 국민이 영어 실력을 갖춰야 한다고 믿는다면, 정부 관계자들 먼저 영어 실력을 보여주는 게 어떨까. 우선 국민의 대표인 국회의원들부터 영어 실력을 갖출 필요가 있을 것 같다. 국민들은 자기 돈으로 외국 여행하기도 힘들지만, 이들은 우리가 낸 세금으로

잦은 '외유'를 떠나지 않는가.

많은 국회의원들이 엉뚱하게 '산업시찰'을 경치 좋은 곳으로 떠나는 이유는 아무래도 영어 실력이 부족해서인 것 같다. 우선 영어로 국회의원을 뽑고, 국회를 영어로 여는 방안도 고려해볼 만하다. 영어로 의사를 개진할 능력이 없는 이들을 퇴출시켜야 함은 물론이다.

그게 불필요하다고 생각한다면 국민에게도 부당한 요구를 거둘 일이다. 지도자들에게 불필요한 것이 국민들에게는 왜 필요한지 설득할 수 없다면 말이다. 자기도 못하는 것을 남들에게 강요하는 것, 그것은 지도자의 도리가 아니다.

'한 방 사회'의 비극

언제부턴가 한국에서 '창의교육'이란 말을 자주 듣게 됐다. 이명박 대통령도 이 말을 자주 입에 올리곤 했다. 그는 집권 초인 2009년에 이렇게 말했다. "경제위기 이후 다가올 새로운 시대에는 창의적 인재 육성이 가장 중요하다."

그는 집권 마지막 해인 2012년에도 비슷한 말을 했다. 학교교육이 "자유롭게 생각하고 창의로운 교육을 하는 방향으로 바뀌고 있다"는 것이다. 그러나 드러난 현실과 객관적 지표는 정반대였다. 2012년 5월에 공개된 한국직업능력개발원 보고서를 보자. 포괄적 내용이 담긴 이 자료는 '이명박표 교육정책'의 참담한 결과를 보여준다. 평가항목 10가지 가운데 무려 9가지가 추락한 것으로 드러났기 때문이다.

이명박 대통령이 그토록 강조했던 창의력과 예술적 능력은 오히려 떨어졌다. 여기에 언어능력, 자기성찰능력, 대인관계능력, 자연

친화력, 신체·운동능력, 손재능, 공간·시각능력 등 9가지 항목이 2001년보다 퇴보했다. 그야말로 '잃어버린 10년' 인 셈이다.

뒷걸음치지 않은 항목은 수리·논리력 하나뿐이다. 하지만 폭등한 사교육 시간과 비용을 생각하면 이명박 정부의 교육정책은 총체적 실패라는 낙인을 면할 수 없다. 10년 전에 비해 중학생의 주당 평균 사교육 시간이 남학생은 71분에서 107분으로 늘었고, 여학생은 48분에서 101분으로 배 이상 뛰었다. 보고서는 대폭 늘어난 중·고교 사교육 시간을 지적한 후, 다음과 같은 결론을 내린다.

> 우리 교육이 표면적으로는 다양한 소질과 적성 개발, 전인적이며 창의적인 인재교육을 목표로 하지만, 실제로는 여전히 인지적인 능력이 강조되고 경쟁이 심화된 상태임을 보여준다.
>
> _ 한국직업능력개발원, 《중고등학생의 적성 및 학습시간 변화》, 2012. 5. 15.

'나쁜 어른'들의 탐욕과 무지

하지만 정말 심각한 문제는 평가 지표만으로 드러나지 않는다. 여성가족부의 한국청소년상담원 상담통계를 보면, 자살을 고민하는 고등학생이 2008년 214명에서 2010년 476명으로 갑절 이상 늘었다. 중학생은 256명에서 627명으로 2.5배 가까이 증가했고, 초등학생은 37명에서 99명으로 무려 2.6배나 늘었다. 어린 학생들이 자살을 생각하는 이유 중 '성적과 진학에 대한 고민' 이 절반 이상을 차지했다. 정부의 가혹하고 무책임한 교육정책이 어린 학생들을 죽음으로 몰고 있는 것이다.

이명박 정부 4년(2008년~2011년) 내내 자살은 청소년 사망 원인 가운데 단연 1위였다. 통계청 자료를 보면 2010년에 자살한 청소년들은 교통사고, 암, 심장질환으로 사망한 청소년들을 합한 것보다 많았다. 어린이들조차 10명 중 1명이 자살충동을 느끼며 산다. 오죽하면 유엔(UN) 아동권리위원회마저 한국 아동·청소년의 극심한 경쟁으로 인한 스트레스에 대해 대책을 마련하라고 촉구했겠는가.

이명박 대통령은 2012년 어린이날을 맞아 청와대에 아이들을 초청해 "북한은 말 안 듣는 나쁜 어린이"라는 이야기를 했다. 바쁜 어린이들을 불러내어(아이들이 왜 바쁜지는 대통령이 더 잘 알 것이다) 철 지난 반공교육을 하기에 앞서, 이명박 정부만 아니었다면 살아 있을 뻔했던 어린 영혼들에게 사죄부터 했어야 옳다. '나쁜 어른' 들의 탐욕과 무지가 어린이들을 건물 난간으로 몰아세웠기 때문이다.

영국 주간지《이코노미스트》는 한국 교육의 병폐를 분석하면서 한국을 '한 방 사회(one-shot society)' 라 불렀다. 단 한 번의 시험으로 인생이 판가름 나는 곳이라는 뜻이다. 물론 어제오늘의 이야기는 아니다. 시험 한 번이 인생의 성패를 가르는 건 과거에도 마찬가지였으니 말이다.

그렇다고 달라진 게 없는 건 아니다. 이명박 대통령 집권 이후 '한 방 사회' 에 대비하는 시점이 중·고등학교에서 초등학교로 내려갔고, 대학에 합격해도 공부에 전념하기가 더 어려워졌다. 대다수의 학생들이 입학하자마자 등록금 마련을 위해 아르바이트에 매달려야 하고, 졸업을 앞두고는 '자소서 뽀개기'에 매달려야 하기 때문이다.

내 욕심만 채우는 서바이벌 교육

21세기 한국 교육의 열쇠말은 '글로벌 인재'일 것이다. 근사한 말이다. 하지만 나는 이게 무슨 뜻인지 잘 모른다. 단순히 '해외 취업자'를 뜻하지는 않는 듯하고, 자신의 판단과 행위를 세계적 맥락에서 파악하고 책임지는 '세계시민'을 뜻한다면 한국 교육과는 한참 거리가 멀다. 한국의 교육은 '세계'는 고사하고 옆 사람에 대한 배려조차 가르치지 않기 때문이다. 한국 교육에서 타인은 '적' 아니면 이익을 취할 대상일 뿐이기 때문이다. 그런 면에서 한국 교육은 오직 나 자신만 생존하고 내 욕심만 채우도록 가르치는 '서바이벌 교육'이다.

현재 한국 학생들의 창의성이 '글로벌 인재'라는 말이 유행하기 전보다도 후퇴한 상황이니, '글로벌 인재'를 '창의적 인재'라고 주장할 수도 없을 것이다. 그렇다면 한국 정부와 학교가 기른다고 주장하는 '글로벌 인재'란 무엇일까? 그들이 좋아하는 '기업이 원하는 인재'를 세계적으로 확장한 개념으로 보면 될까?

한국 정부와 기업은 '세계'를 논할 때 늘 미국 이야기를 꺼내곤 한다. 자유무역협정(FTA)을 강행한 논리도 "세계 최대인 미국 시장을 선점해야 한국 경제의 미래가 있다"였다. 그렇다면 이들이 생각하는 '글로벌 인재'란 '미국 기업이 원하는 인재'일까? 그렇다면 미국 기업은 어떤 사람을 뽑고 싶어 할까?

2012년 5월 공개된 고용주 설문조사가 좋은 단서가 될 것 같다. 컨설팅 회사인 밀레니얼 브랜딩(Millennial Branding)사가 미국의 225개 회사를 대상으로 조사한 결과, 고용주들은 구직자가 갖출 가장 중요한 조건으로 '소통능력'(98%)을 꼽았다. 그다음이 '긍정적 태도'(97%)와 '타인과의 협력'(92%)이었다.

앞서 언급한 한국직업능력개발원 보고서는 한국 교육이 언어능력과 대인관계능력을 길러주지 못하고 있음을 보여주었다. 다시 말해, 학생들을 죽도록 괴롭히면서도 국제경쟁력은 뒤처지는 한심한 교육 정책을 고수하고 있는 것이다.

가난한 자에게 높아지는 대학 문턱

국민들 다수가 비싼 학비를 걱정하지만 등록금이 내릴 기미는 보이지 않는다. 비싼 등록금을 원하는 사람들이 있기 때문이다. 대학만 그런 게 아니다. 부자들도 비싼 등록금을 좋아한다. 돈 있는 사람만 입학할 수 있고, 돈 있는 사람만 아르바이트 걱정 없이 다양한 경험을 즐기면서 '스펙'을 쌓을 수 있으며, 돈 있는 사람만 빚 없이 사회에 나갈 수 있기 때문이다. 천문학적 등록금은 돈 없는 사람을 경쟁에서 배제시키는 효과적인 방법이 된다.

기여입학제가 아니더라도 한국 사회는 이미 돈으로 대학 졸업장을 사는 사회가 되었다. '있는 자를 위한, 있는 자에 의한, 있는 자의

■

비싼 등록금은 학생 개인뿐 아니라 사회적으로도 재앙이다.
국민이 지식과 기술을 쌓아 사회에 기여할 기회를 차단하기 때문이다.

© 남소연

시대' 가 열린 것이다. 부자들은 이 체제를 공고히 하고 싶을지도 모르겠다.

정말 그렇게 생각한다면 그건 어리석은 것이다. 현재의 교육제도를 혁명적으로 바꾸지 않는 한, 없는 자들이 고통받는 것은 물론 궁극적으로는 가진 자들도 낭패를 면치 못하게 될 것이다. 단기적으로는 국가경쟁력을 잃게 될 것이고, 장기적으로는 나라 자체가 소멸하고 말 테니 말이다.

현재의 교육체제를 지지하는 사람들은 '경쟁력' 을 위해 경쟁체제가 필요하다고 말한다. 하지만 교육 스트레스로 아기 낳기를 포기하고, 낳아놓은 아이들은 성적 스트레스로 자살을 고민하는 사회가 궁극적인 경쟁력을 갖추는 날, 인구는 '0' 이 될 것이다. 상황이 악화되지 않고 현재의 출산율이 지속되기만 해도 한국 사회의 인구는 300년 이내에 자연 소멸하게 돼 있다.

물론 상위 1%는 살아남을 것이다. 그들이 상위 1% 내에서도 급격히 진행되고 있는 부의 편중 현상을 견뎌낸다면 말이다. 현재 한국 인구의 1%면 50만 명이다. 기껏해야 싱가포르 인구의 10분의 1에 지나지 않는 50만 명의 인구로 '상위 1% 엘리트 국가' 를 만들면 과연 행복해질까?

하지만 현재의 5000만여 명 인구로도 충분한 내수시장을 이루기 어려운 게 현실이다. 하다못해 부자들은 자신이 1%임을 과시할 대상이 그리워지지 않겠는가. 물론 1%끼리도 서열을 매겨 0.99%를 따돌리는 짓을 계속할 것이다. 설사 국민 대다수가 소멸하지 않고 살아남는다 해도 그들이 높은 지식, 기술, 구매력을 갖추지 못하면 상위 1%도 행복할 수 없다. 물론 부유층 거주지를 뺀 전역이 황폐화되면, 황량한 거리를 방탄차를 타고 누비는 스릴을 즐길 수는 있을지 모르지만 말이다.

등록금이 비싸야 경쟁력이 생긴다?

한국의 대학은 취업학원이 된 지 오래다. 대학생들은 보편적 교양은커녕 전공 분야의 공부마저 포기하고 영어시험과 기업 직무적성 시험 준비에 나서야 한다. 이런 상황에서 국가경쟁력을 기대할 수는 없다(입사시험에는 "용산참사는 경찰 탓인가?" 같은 질문도 나온다). 학생들이 '취업전선'에 나서기 전까지는 수많은 시간을 아르바이트와 '스펙 쌓기'에 바쳐야 한다. 이런데도 기업이 대학을 떡 주무르듯 주무르게 내버려두고, 대학이 원하는 대로 등록금을 받아야 '경쟁력'이 생긴다고 주장한다.

이명박 대통령은 등록금 걱정하는 국민들에게 "등록금이 싸면 대학교육의 질이 떨어진다"고 말하곤 했다. 등록금이 1000만 원대인 한국 대학이 무료에서 수십만 원 수준인 독일, 프랑스, 스위스, 스웨덴 등의 대학들보다 나은지는 길게 생각할 필요도 없다. 2012년 《더 타임스》 선정 '세계 100대 대학'에 이름을 올린 한국 대학은 포항공과대학교와 한국과학기술원(KAIST) 두 곳뿐이었다. 이 두 학교의 공통점은 등록금이 아주 저렴하다는 것이다. 유럽처럼 등록금을 국가가 보조하기 때문이다.

만에 하나 등록금을 올려 대학 수준이 나아진다 하더라도, 비싸서 다닐 수도 없는 '수준 높은 대학' 이 무슨 소용인가? 그보다는 수준이 좀 낮더라도 '다닐 수 있는 대학' 이 낫다. '경쟁력' 을 이유로 의료민영화를 해서는 안 되는 이유도 마찬가지다. 국민 대다수가 구경만 해야 하는 '수준 높은 의료서비스' 가 무슨 소용이 있는가?

국가가 세금을 투자해 학비를 낮추는 건 낭비가 아니다. 졸업생이 학위장을 들고 하늘로 승천하는 게 아니라 갈고닦은 지식과 기술을 사회에 되돌려주기 때문이다. 정말 낭비가 무엇인지 알고 싶은가? 그건 어렵게 들어간 대학에서 전공 공부 대신 아르바이트나 취업 준비에 매달리게 만드는 것이다. 특히 국가가 보조하는 대학에서 '기업이 원하는 인재' 를 배출하는 것은 세금을 기업에 퍼주는 행위와 같다.

4대강 사업처럼 세금을 기업에 갖다 바치는 건 한국 정부의 오랜 전통이었다. 자연하천을 인공구조물로 도배하는 데 막대한 세금을 쏟아부었지만, 이 어리석은 낭비는 아직 끝나지 않았다. 그 어리석은 구조물을 매년 큰돈을 들여가며 한동안 유지하다가 다시 큰돈을 들여 뜯어내야 하기 때문이다. 자연을 거스른 대가를 혹독히 치른 후에 말이다.

차라리 건설사에 그냥 돈을 가져다주는 편이 현명했다. 그러면 돈은 날렸겠지만 강은 망가지지 않았을 테니 말이다. 물론 정말 현명한 정부라면 그 돈을 강바닥과 건설사 주머니 대신 젊은이들의 미래, 즉 한국의 미래에 투자했을 것이다.

기업을 위한 대학, 취업을 위한 교육

"기업이 원하는 인재를 배출하는 대학"

몇 년 전, 한 대학 정문에 이런 글귀가 새겨져 있었다. 쾌적하고 뛰어난 연구시설을 갖춘 국립대학으로, 학생들 수준도 높아 '명문대'라 부르기에 손색이 없었다. 여기서 대개의 한국 언론은 '명문대' 앞에 '지방'이라는 말을 붙이고 싶은, 그래야만 마음이 편한 편집증적 강박을 느낄 것이다(이게 왜 한심한지는 '한국에서 애플이 탄생할 수 없는 이유'에서 설명했다). 비록 동문은 아니지만 나는 이 학교를 잘 알고 있었고, 그곳 학생들과 함께 많은 시간을 보냈다.

하지만 학술 모임을 위해 학교 진입로에 들어설 때마다 "기업이 원하는 인재를 배출하는 대학"이라는 말이 마음에 가시처럼 걸리곤 했다. 대학의 목적은 기업에 인력을 대는 게 아니기 때문이다. 세금으로 운영되는 국립대학의 경우는 말할 필요도 없다. 기업은 사적 이윤 추구를 위해 존재하기에, 이들의 이해관계는 시민이나 국가의 이해관계와 같을 수 없다.

하물며 기업에 대학의 구조조정을 맡기거나 교육과정을 좌우하게 만드는 것은 사자 입안에 머리를 집어넣는 것만큼 위험하고 어리석은 일이다. 대학과 국가는 기업보다 오래 존속해야 하기에, 그들에게 국가의 미래를 맡겨서는 안 된다. 뒤에서 자세히 밝히겠지만, 기업의 수명은 매우 짧다. 게다가 기업은 한 사회의 교육을 이끌 만큼 현명한 조직도 아니다.

취업률로 대학을 평가하는 사회

그 뒤 몇 년 만에 다시 그 대학을 찾았다. 정문 구조가 바뀌면서 그곳에 붙어 있던 글귀는 더 이상 보이지 않았다. 하지만 '친기업주의'는 오히려 강화된 형태로 교정 곳곳에 구현되어 있었다. 학생회관 옆에는 대기업이 운영하는 편의점이 원색 간판을 자랑하고 있고, 교정을 수놓은 현수막과 게시판은 재학생들이 얼마나 쓸 만하고 일 잘하는 사람인지를 고용주에게 과시하려고 애쓰고 있었다.

하지만 정말 극적인 사건은 따로 있었다. 이 학교가 정부에 의해 '구조개혁 중점추진 국립대'로 지정된 것이다. 취업률과 재학생 충원율을 문제 삼아 이 학교를 '부실대'로 낙인찍은 것이다. 이 두 가지 지표를 적용한 방식에도 문제가 있었지만, 더 기막힌 것은 이 학교가 같은 해 교육과학기술부로부터 '잘 가르치는 대학' 상을 받았다는 점이다. 아무리 잘 가르쳐도 취업률이 낮으면 제대로 된 대학 취급을 받지 못하게 된 것이다.

정부가 나서서, 그것도 국립대를 기업의 '예비사원 연수원'으로 만들고 있는 것이다. 멀쩡한 나라치고 취업률을 잣대로 대학을 평가하는 나라는 없다. 학생 취업률로 '구조조정'이나 '퇴출'을 결정하는 건 상상할 수도 없다. 정부는 말할 것도 없고 《유에스뉴스》나 《더 타임스》처럼 국내외 대학을 평가하는 민간기관에서조차 취업률은 아예 고려 대상도 아니다.

미국에서 가장 잘 알려진 대학평가 기관인 《유에스뉴스》는 합격률, 입학성적, 졸업률, 교수-학생 비율 등 오직 학문적 역량과 교육의 질만을 따진다. 매년 세계 대학을 평가하는 《더 타임스 고등교육(*The Times Higher Education*)》 역시 강의, 연구, 논문 인용도를 학교 평가의 90%에 반영하고, 나머지 10%를 세계화 지수(7.5%)와 업계 연구비 지원(2.5%)에 할당한다.

한국 정부는 입만 열면 '글로벌 경쟁력'과 '세계 100대 대학'을 노래한다. 그러면서도 취업률을 이유로 국제적으로 가장 중요한 평가기준에 들어맞는 '강의 잘하는 학교'에 '부실' 딱지를 붙이고 있다. 연구 중심 대학에 강의와 연구 대신 취업교육이나 시키라고 주문하는 것이다. 이는 정부가 나서서 경쟁력을 스스로 차버리는 꼴이다.

'기업이 원하는 인재'가 위험한 이유

대학을 기업의 인력풀로 만드는 건 그저 고등교육의 몰이해나 세금 낭비로 끝나지 않는다. 앞에서 말한 대로 국민과 국가는 물론, 기업 자신까지 위태롭게 하는 일이다. 정부 입장에서는 기업이 마냥 귀엽겠지만, 기업이 원하는 대로 해주는 게 배려일 수는 없다. 고양이가 귀엽다고 음식을 원하는 대로 퍼줘서는 안 되는 듯 말이다.

고양이가 병든다고 주인의 직장이 날아가거나 국가경제가 휘청거리지는 않는다. 하지만 기업은 다르다. 게다가 기업의 평균수명은 고양이보다도 짧다. LG경제연구원의 2008년 보고서에 따르면, 2006년 5월 말 기준 국내 기업의 평균수명은 10.4세였다. 1965년 매출 순위 100대 기업 가운데 80%가 10년 내에 순위권 내에서 사라졌다. 이 중 현재까지 100대 기업으로 남아 있는 기업은 10%도 채 되지 않는다.

한국만이 아니다. 케빈 케네디와 메리 무어가 쓴 《100년 기업의 조건》을 보면, 세계 기업의 평균수명이 13년에 지나지 않으며, 30년 이내에 80%가 사라진다는 사실을 알 수 있다. 최근 들어서는 기업의 수명이 더욱 짧아지는 추세다.

신자유주의와 시장방임주의가 힘을 얻는 가운데 기업이 오히려 단명하게 된 건 아이러니다. 이는 기업이 원하는 대로 하도록 내버려두는 게 배려가 아님을 보여주는 것이다. 사람을 쓰는 것도 마찬가지다. '기업이 원하는 인재' 란 단기간에 수익을 극대화할 수 있는 사람들로, 국민 개개인의 보람과 안녕, 그리고 국가의 미래와 무관할 뿐 아니라 도리어 역행하는 경우가 허다하다. '기업이 원하는 인재' 를 길러내는 게 위험한 이유가 여기 있다.

'연구 중심 대학'과 '취업 중심 대학'

미국의 외교전문지 《포린 폴리시(*Foreign Policy*)》는 구글의 대표이사 회장 에릭 슈미트에게 흥미로운 질문을 던졌다. "제2의 실리콘밸리가 가능한가?"였다. 기술혁신의 상징이 된 미국 실리콘밸리와 비슷한 창의적 공간이 다른 나라에도 생겨날 수 있는지 물은 것이다. 슈미트의 대답은 간단했다. 세 가지 조건이 있다면 어느 곳이든 가능하다는 것이다.

슈미트는 첫 번째로 '연구 중심 대학'을 꼽았다. 두 번째는 해당 지역에 분방하고 창의적인 문화가 있어야 한다고 했다. 세 번째 조건으로는 젊은이들을 끌어들일 만한 다양한 요인이 필요하다고 덧붙였다.

우리는 슈미트가 가장 중요한 조건으로 '대학'을 내세운 데 주목할 필요가 있다. 여기서 중요한 것은 '연구 중심 대학'이지 '취업 중심 대학'이 아니라는 점이다. 다시 말해, 대학이 기업을 이끌어야지 기업이 대학을 이끌어서는 곤란하다는 것이다.

한국 대학의 문제는 기업이 대학을 멋대로 주무른다는 점이고, 그보다 더 큰 문제는 이런 상황에서 아무런 문제의식을 느끼지 못한다는 점이다. 기업은 학교로부터 창의력을 수혈받는 대상이어야 하며, 대학을 움직이는 주체가 되어서는 안 된다. 하지만 '구조조정'이라는 기업논리로 학과를 축소하고 통폐합하는 것을 '선진화'라 부르며 박수 치는 나라에서는 희망을 찾기 어렵다.

교육은 창의적이고 비판적으로 사고하는 학생을 길러내고, 이 학생들이 분방한 대학문화를 형성하며, 이런 대학들이 기업에 비판과 아이디어를 제공해야 한다. 한국은 정반대로, 기업이 돈과 취업을 무기로 학교와 학생을 쥐락펴락한다. 그래놓고는 사원들을 모은 뒤 난데없이 '혁신'을 주문하다가 '창의력 부족'을 이유로 해고통지서를 날린다. 물론 이 모든 절차는 '선진화'의 이름으로 행해진다.

한국처럼 교육이 창의력과 비판적 사고를 차단하고, 기업이 대학을 멋대로 주무르는 상황은 모두에게 재앙이다. 그 기업이 언제 어떻게 될지 모르는 식탐 많은 고양이라면 더욱 그렇다.

공동체를 파괴하는 지식과 기술

흥미롭게도 금융위기 이후 '인문교육'의 중요성을 강조하는 목소리가 높아지고 있다. 《뉴스위크》는 2010년 1월 존 미첨의 칼럼 〈인문학을 옹호하며〉를 실었다. 《뉴스위크》 편집장 출신인 미첨은 인문학적 상상력을 통해 새로운 혁신과 경쟁력을 얻을 수 있다고 말했다. 발상의 전환으로 유명한 오바마 대통령과 스티브 잡스가 인문학부 대학에서 공부한 것은 우연이 아니라는 것이다.

2012년 2월, 《뉴욕타임스》는 프린스턴대학교에서 물리학 박사과정을 밟고 있는 베디카 케마니의 글을 실었다. 자신이 학부를 마친 곳은 과학·공학을 특화한 학교였으나, 전교생이 인문학과 사회과학 수업을 의무적으로 들어야 했다는 것이다. 케마니는 물리와 수학을 전공하며 역사, 경제학, 언어학, 철학, 작문 수업을 들었다. 그는 이 특별한 경험이 자신의 삶을 바꿔놓았다고 이야기하면서, '실용교육'에 매달리는 개발도상국들의 근시안적 사고를 지적했다.

'지식노동자' 들이 지배하는 세계에서, 이들이 서로 소통하고 협력하는 법을 배우는 일이 무엇보다 중요하다는 것이다. 그런 면에서 보편적 교양, 소통능력, 비판적 사고, 윤리적 판단을 가르치는 인문교육과 기초과학은 중요할 수밖에 없다.

학생들이 손쉽게 배울 수 있는 실용기술로 대학 4년을 보내는 것은 개인과 사회 모두에게 커다란 낭비다. 앞에서도 언급한 바 있는 밀레니얼 브랜딩사의 설문조사 결과 역시 고용주들이 인문교육의 가치를 잘 이해하고 있음을 보여준다. 225개 회사의 고용주 중 30%가 말과 글쓰기에 능한 인문학과 기초분야 전공자를 선호한다고 응답했으며, 이는 공학·컴퓨터 전공자를 뽑겠다는 응답(34%)과 비슷한 비율이었다. 그에 비해 금융·회계 전공자를 뽑겠다고 응답한 회사는 18%에 지나지 않았다.

소통능력, 비판적 사고, 윤리적 판단은 어떤 지식이나 기술보다 중요하다. 응용지식과 기술이 중요하지 않다는 뜻은 아니다. 소통능력이 있어야 남과 공동체를 배려할 수 있고, 비판적이고 윤리적으로 사고해야 익힌 지식과 기술을 바르게 쓸 수 있기 때문이다. 소통능력 결여와 윤리적 사고의 부재가 한 사회를 얼마나 고통스럽게 하는지 한국 정부가 잘 보여주지 않았는가.

한국 교육은 공동체 파괴범을 양산하고 있다. 영리한 두뇌를 자신만의 이익을 위해 쓰도록 가르치고 있기 때문이다. '명문의대' 성추행 사건에서 보듯, 가해자들은 그 좋은 머리를 자신들의 죄를 무마

하는 알리바이의 도구로 썼다. 남을 생각하지 않는 지식과 기술은 타인의 목에 들이대는 흉기일 뿐이다.

4장

망가진 문화

지극히 개인적인 생각과 감정조차 자신의 것이 아니다.
우리는 말과 영상을 통해 사고하지만,
그것은 개인 스스로 만들어낸 게 아니라 사회 속에서 주어진 것이다.

앨런 와츠
Alan Watts

'문화맹' 정부 아래 사는 슬픔

벌써 '지난 세기'가 된 1995년 2월의 일이다. 스티븐 스필버그가 영화계의 두 거물 제프리 카첸버그, 데이비드 게펜과 손잡고 '드림웍스'를 출범시키겠다고 발표했다. 그러자 전 세계 투자가들이 돈을 대겠다며 몰려들었다. 그러나 스필버그 일행은 동업자를 물색하는 데 무척이나 까다롭게 굴어, 투자로 더 많은 돈을 벌고 싶어 하는 갑부들의 애를 먹였다.

그 긴 줄 속에 삼성의 이건희 회장도 서 있었다. 아시아 배급사를 물색 중이던 스필버그에게는 수천 편의 영화를 수집해온 '영화광' 이건희가 꽤 매력적인 후보였다. 물론 그가 써 들고 간 5억 달러짜리 수표도 매력지수를 높이는 데 도움이 되었다. 스필버그는 큰 관심을 보이며, 이 회장을 집에 초대해 함께 저녁을 먹었다.

식탁에는 스필버그의 아내가 만든 칠레산 농어요리가 놓이고, 잔에는 백포도주가 담겼다. 대화가 오가는 가운데 이 회장은 투자 금액을 애초 계획의 두 배에 가까운 9억 달러로 올렸다. 그러나 스필버그의 얼굴은 점점 굳어갔다. 미국의 주간지 《타임》은 당시 상황을 이렇게 묘사한다.

> 이 회장 일행이 통역을 통해 자신들의 계획을 설명했을 때, 스필버그는 속이 불편해지는 것을 느꼈다. 저녁으로 먹은 농어 때문이 아니었다. 스필버그는 그때 일을 이렇게 회상한다.
>
> "이야기를 나누는 두 시간 반 동안 '반도체' 라는 말이 족히 스무 번은 나왔을 겁니다. 이런 생각이 들더군요. '머릿속이 온통 반도체 생각으로 꽉 찬 사람이 영화산업을 제대로 이해할 수 있을까?' 저녁 한나절을 완전히 시간 낭비한 거지요."
>
> _《타임》, 1995. 3. 27.

기억 속에 파묻혔던 이 사건을 다시 끄집어내준 것은 한국 정부였다. 한미 FTA와 스크린쿼터 축소를 결정한 한국 정부의 모습이 '반도체 강박' 을 지닌 기업가의 모습과 완벽히 겹쳐졌기 때문이다. 차이가 있다면, 한국에서 칼자루를 쥔 것은 스필버그 같은 영화인이 아니라 '반도체 정신' 으로 무장한 정부라는 점이다.

스스로 포기한 문화주권

한국 정부는 한미 FTA에 나서기 위한 '사전 작업' 으로 미국에 네

가지를 양보했다. 하나는 광우병 논란으로 통관이 금지되었던 쇠고기 수입을 재개한 것이고, 다른 하나는 2006년 7월 1일부터 스크린쿼터를 연간 146일에서 절반인 73일로 줄인 것이다. 그리고 의약 수입과 시장가격, 자동차 수입 및 배기가스 규제 문제에 대해서도 미국의 요구를 받아들였다.

사실 한국 외교통상부의 무능과 철학 부재는 어제오늘의 일이 아니다. 본격적인 협상에 들어가기 전 양보부터 하고 보는 전략적 미숙함만이 아니다. 더욱 심각한 것은 한 사회의 기반이 되는 식량주권과 문화주권을 반도체나 자동차와 간단히 맞바꿀 수 있는 '교역 대상'으로 간주했다는 점이다.

많은 독자가 의아해할 것이다. 농업에 대한 무관심이야 한국 정부의 유구한 전통에 속하지만, 영화에 대해서는 '국가 전략산업'이라며 온갖 혜택과 지원책을 내놓지 않았던가. 그러던 영화산업이 왜 '본경기'도 시작되기 전에 던져지는 '미끼' 신세로 전락했을까.

정부는 한국 영화의 점유율이 50%에 달해 '완전한 경쟁력'이 갖추어졌기에, 스크린쿼터 축소가 한국 영화에 아무 영향도 미치지 않을 것이라고 주장했다. 더 나아가 스크린쿼터 축소가 한국 영화를 '선진화'하는 데도 도움이 될 것이라는 주장까지 내세웠다.

정부는 스스로 이 말을 믿는 걸까. 그렇다면 쿼터 축소에 대비해 지원하겠다던 4000억 원은 무엇 때문에 필요한가. 경쟁력을 갖춰 스크린쿼터도 필요 없고 앞으로 미국의 영화자본이 몰려들어 한국 영화를 한층 발전시킬 것이라고 믿는다면 '정부 지원 대책'은 무엇 때문에 필요하냐는 것이다. 물론 그 금액이라고 해봐야 한국 재벌회장이 미국의 한 영화사에 투자하려 했던 금액의 절반도 안 된다.

불행은 오래전에 시작되었다. 한국 정부가 "〈쥬라기 공원〉 한 편이 현대자동차 150만 대"라는 구호로 영화 진흥책을 내놓을 때부터다. 영화를 한 사회의 정체성과 인식을 규정하고 반영하는 삶의 일부가 아니라 '내다 팔' 산업으로만 간주한 것이다. '문화 콘텐츠'니 '콘텐츠 산업'이니 하는 조합어가 이 '반도체 의식구조'를 잘 드러내준다.

더욱 안타까운 것은 숫자상의 업적에 집착하는 정부에게서 '문화 주권'이나 '문화적 예외'에 대한 기본적인 이해도 찾아볼 수 없다는 점이다. 스크린쿼터 결정 발표를 재정경제부(지금의 기획재정부)에서 했다는 사실이 문화에 대한 한국 정부의 인식을 잘 보여준다. 그들에게 영화는 한낱 '산업'이나 '상품'(혹은 '수출의 견인차')일 뿐이다.

반문화적 태도만이 아니다. 무역협정 및 스크린쿼터 축소 결정의 논의 및 발표에 이르기까지 어떠한 민주적 의견수렴 과정도 없었으며, 사회적 합의를 하려는 노력도 보이지 않았다. '밀실 결정'의 내용을 기습적으로 발표하는, 이전부터 흔히 보아오던 '대국민 통보'만 있었을 뿐이다.

혹독한 자본논리에 던져진 영화산업

지금 세계의 많은 나라들은 자국의 문화적 정체성을 지키기 위해 애쓰고 있다. 2005년 세계인의 환호 속에 탄생한 '문화다양성 협약'

은 이런 문화적 필요와 요구가 증폭되어 나타난 상징적 사건이었다. 유럽은 말할 것도 없거니와 캐나다와 뉴질랜드 등 미국 문화권에 속했던 나라들이 문화산업에 정부지원을 강화하고 방송물에 쿼터제를 도입하는 등 국내 문화산업을 보호하기 위해 박차를 가하고 있다. 스크린쿼터제 폐지 이후 영화산업이 붕괴한 멕시코도 뒤늦게 쿼터제를 부활시키며 영화산업의 불씨를 되살리기 위해 노력하고 있다.

스크린쿼터는 가트(GATT, 관세 및 무역에 관한 일반협정) 4조에서 인정하는 주권국가의 정당한 권리다. 물론 미국이 한국과의 영화 교역에서 심각한 불균형을 겪고 있다면 스크린쿼터를 문제 삼는 것을 이해할 수 있다. 하지만 교역 불균형의 피해자는 한국이다.

영화진흥위원회 집계에 따르면, 2005년 기준으로 한국은 미국에 약 200만 달러의 영화를 수출했고, 약 3500만 달러의 영화를 수입했다. 격차가 17배가 넘는 것이다. 이런 상황에서 스스로 스크린쿼터를 축소한 뒤 다시는 환원하지 않겠다고 약속한 것이다.

사실 한국 영화가 '성공' 했다고 말할 수 있는 시기는 2000년대 초부터 중반까지의 5년 정도였다. 한국 영화가 겨우 자리를 잡고 성장하기 시작한 상황이었다. 정부는 섣불리 '활황' 을 외쳤고 FTA 협상단은 호기롭게 "한국 영화가 세계적 경쟁력을 갖추었다" 고 선언하며 스크린쿼터 축소를 밀어붙였다. 자동차 수출을 늘린다며 아직 완숙기에 들지 못한 영화산업을 혹독한 추위 속에 던져놓은 것이다. 자동차산업은 이미 정부가 30년 이상 보호하며 성장시켜온 탓에 충분한 경쟁력을 갖춘 상태였다. 보호가 필요한 건 영화산업이었다.

스크린쿼터를 줄인 2005년 이래 한국 영화의 해외수출은 급격히 감소했다. 2005년까지는 급성장하며 약 7600만 달러를 수출했지만, 2006년에는 2450만 달러로 떨어졌다. 한 해 만에 무려 65%가 줄어든 것이다. 그 후에도 2007년 2440만 달러, 2008년 2100만 달러, 2009년 1410만 달러, 2010년 1360만 달러로 계속 곤두박질쳤다. 2011년에는 1580만 달러로 소폭 상승했으나, 2005년의 반의 반 토막도 안 되는 수준이다.

영화는 높은 초기 생산자본과 낮은 재생산자본을 특징으로 하는 대표적인 문화산업이다. 영화 한 편을 만드는 데는 막대한 비용이 들지만, 그것을 여러 벌로 복제하는 데에는 거의 비용이 들지 않는다. 그로 인해 성공적인 영화 하나를 만들면 그것을 무제한 복제해 배급함으로써 여분의 수익을 올릴 수 있다. 영화산업의 이러한 특성은 할리우드가 영화 한 편에 상상할 수 없는 자본을 쏟아붓는 것을 가능케 해준다.

문제는 영화의 흥행 비율이 10편 중 1~2편 정도에 머문다는 것이다. 따라서 '흥하면 크게 흥하고, 망하면 크게 망하는' 것이 바로 영화산업이다. 하지만 '흥하고 망하는' 일마저 동등한 조건에서 이루어지지 않는다. 흥행의 가능성을 높이는 스타시스템과 스펙터클은 언제나 돈 있는 자의 손을 들어주기 때문이다. 미국 영화가 세계를 지배해온 이유가 여기에 있다.

막대한 비용을 투자할 수 있고, 이 투자가 실패해도 망하지 않을 만한 자본력, 이것이 한국 영화에는 존재하지 않는다. 2000년부터 2011년까지 만들어진 한국 영화의 편당 평균 제작비는 마케팅비를 포함해 약 30억 원이다. 미국 영화의 평균 제작비는 한국의 20배인

600억 원을 넘어선다. 이는 할리우드 흉내를 내다가는 한국 영화산업 전체가 날아갈 수 있음을 의미한다. 실제로 제작비 300억 원을 들인 〈마이웨이〉의 실패는 한국 영화계 전체에 심각한 타격을 주었다. 미국 영화 편당 제작비의 절반도 안 되는 금액이었는데 말이다.

〈괴물〉의 미국 흥행이 주는 교훈

"괴수영화사상 최고의 작품."

"〈죠스〉와 〈리틀 미스 선샤인〉의 장점을 결합시킨 걸작."

"당신이 꼭, 꼭, 꼭 봐야 할 영화."

봉준호 감독의 〈괴물〉이 미국에서 개봉된 이후 평론가들로부터 받은 찬사다. 이 영화는 한국에서 최고의 흥행기록을 세우기도 했다. 평론가 절대다수에게 이런 극찬을 받은 영화는 할리우드 영화 가운데서도 흔치 않다. 한국에도 잘 알려진 영화평론 사이트 '로튼토마토'는 이 영화를 '신선도 92%'로 호평했다.

미국에서의 호의적인 반응은 평론가에게서만 나온 것이 아니다. 이 영화를 보고 극장 문을 나서는 일반 관객들로부터도 부정적인 반응을 찾기가 쉽지 않았다. 한 관객은 야후 영화 사이트에 다음과 같은 평을 올리기도 했다.

"한국에서 제대로 된 것이 나오리라고 누가 기대했을까? 하지만 이 영화는 괴물담과 가족애를 기막히게 그려낸다. 물론 좀 독특한 가족 이야기이기는 하지만. 어쨌든 지나친 감상주의에 빠지지 않고 유쾌하게 진행해간다. 정말 대단한 영화! (스토리 A^+, 연기 A^+, 연출 A^+, 시각효과 A^+)"

미국에서 대중매체를 연구하고 가르치는 사람으로서 판단하건대, 외국 감독이 미국 관객의 입맛에 이보다 더 맞는 영화를 만들기도 어렵다고 생각한다. 〈괴물〉은 그런 선전에 힘입어 2012년 현재까지 200만 달러가 넘는 흥행수입을 올렸고, 미국 내 박스오피스 23위에 오르기도 했다. 과연 기쁜 일일까? 물론 기뻐할 일이다. 하지만 동시에 성공작 〈괴물〉의 미국 내 흥행수입은 한국 영화가 미국 영화와 결코 동등한 조건에서 경쟁할 수 없다는 교훈을 일깨워준다.

영화평론 사이트인 '로튼토마토'로 돌아가보자. 이 사이트는 정기적으로 '최고의 영화'와 '최악의 영화'를 뽑는다. 혹시 〈얼론 인 더 다크(Alone in the Dark)〉라는 영화 제목을 들어봤는가? 이 영화는 '로튼토마토' 선정 '2000~2009년 10년간 최악의 영화 100선' 중 당당히 15위에 오른 실패작이다. 여기서 그치지 않고 영화잡지 《엠파이어》가 꼽은 '사상 최악의 영화 50선'에 동시에 오르는 기염을 토했다. 얼마나 인기가 없었던지 평단과 관객들 모두에게 평점 'D-'를 받으며 개봉 후 석 달 만에 비디오로 출시되었다(물론 극장이 간판을 내린 건 이보다 훨씬 먼저다. 한국에서는 개봉 없이 바로 비디오로 출시되었다).

'신선도 1%'라는 경이로운 기록을 수립한 이 영화가 그 짧은 기간에 벌어들인 흥행수입은 얼마나 될까? 믿기 어렵겠지만 〈괴물〉의 다섯 배가 넘는다. 비디오 판매 및 대여, 그리고 해외 수익을 제외한 액수가 그렇다. 김종훈 전 통상교섭본부장은 "한국 영화가 미국 영화와 경쟁하기 어렵다"는 우려에 "그럼 미국 사람들이 볼 만한 영화를 만들면 되는 것 아니냐"고 응수한 바 있다. 만일 미국 관객들이 자막을 보기 싫어한다는 점을 지적했다면, "그럼 영어로 찍으면 되는 것 아니냐"고 답하거나 "미국 투자자의 도움을 받아 특급 할리우드 배우를 기용하면 되지 않느냐"고 말했을지도 모르겠다.

물론 가능하다. 미국에 일찍 건너와 영화를 공부한 후 현지인보다 미국인의 감수성을 더 잘 포착한 작품을 만드는 이안 감독이 있고, 홍콩에서 옮겨 와 할리우드에 둥지를 튼 오우삼 감독도 있다. 그러나 우리는 그들이 만드는 영화를 대만 영화나 홍콩 영화가 아닌 '미국 영화'라고 부른다.

그렇잖아도 할리우드는 아이디어 고갈의 돌파구를 찾기에 여념이 없다. 그들은 이미 탁월한 역량을 선보인 한국 감독과 배우들을 기꺼이 할리우드로 초청해 영주권을 줄 것이다. 그러면 한국의 보수신문은 "한국 감독의 쾌거, 할리우드 입성"이라는 표제를 뽑으며 흥분할 것이다. 그리고 머지않아 한국인들은 옛 한국 감독의 코스모폴리탄 정서 가득한 영화를 자막과 함께 보게 될 것이다.

착취사회의 경쾌한 합리화

2011년 한국 신문의 헤드라인을 연이어 장식한 두 사건이 있다. 하나는 등록금 시위이고, 하나는 '유럽을 점령한' 아이돌 그룹이었다. 신문 1면에 나란히 실린 이 두 사건을 보며 심란했던 기억이 난다.

이제 한국에서는 돈 없이는 대학 갈 생각도 못하고, 입학을 한다 해도 아르바이트 자리를 전전해야 한다. 이는 비단 대학생만의 문제가 아니다. 자원이 부족한 나라이기에 '인재 양성'만이 대안이라는 게 한국 정부의 입 아픈 주장이었다. 하지만 학생들이 공부할 시간을 쪼개 돈 버는 데 매달리고 있는 상황에서 경쟁력이 생길 리 만무하다.

그렇다면 '유럽을 점령한' 한국 아이돌의 '쾌거'에는 기뻐해야 할까? 천만의 말씀이다. 등록금은 큰 문제지만 사람들이 상황의 심각성을 깨닫고 목소리를 내기 시작했으니 오히려 다행이다. 걱정스러운 것은 한국의 아이돌이다.

아이돌 현상은 한국 사회의 착취구조를 그대로 보여준다. 그럼에도 불구하고 아이돌은 우려가 아닌 환호의 대상이 되어왔다. 하지만 '등록금 재앙'과 '아이돌 성공'은 한 몸통에 붙은 두 머리일 뿐이다.

성공한 아이돌 앞에 무장해제된 여론

한국 아이돌 그룹들이 유럽 콘서트를 성황리에 마쳤을 때, 상대적으로 차분한 유럽의 분위기를 전하면서 한국 언론의 과장보도를 지적하는 사람들도 있었다. 하지만 콘서트 하나로 나라 전체가 뒤집히는 경우는 없으니, 매진 사례와 팬들의 열광만으로도 '성공'이란 표현에 인색할 필요는 없을 것이다.

독자들 가운데 공항과 콘서트장에서 한글 푯말과 태극기를 들고 열광하는 외국인들을 흐뭇하게 지켜본 분들이 많을 것이다. 한국 아이돌의 '유럽 진출'이 갖는 의미는 소수의 비판과 우려마저 '무장해제'시켰다는 점이다. 아이돌 그룹을 일정한 긴장을 갖고 보도해온 일부 언론까지도 '전향'시키는 결과를 낳았다.

《한겨레》는 〈유럽을 덮친 '케이팝' 열풍 왜?〉라는 제목으로 한국의 아이돌 그룹이 유럽에서 인기를 얻게 된 배경을 긍정적으로 분석했다. 〈파리의 밤 달군 케이팝 열풍〉이라는 사설까지 실었다. 케이팝(K-Pop)이 "문화산업적으로 엄청난 비즈니스"가 됐을 뿐 아니라, "한류를 이어가고 한국 이미지를 알리는 얼굴이라는 점에서 주목된다"는 것이다.

《한겨레》는 《르몽드》를 인용해 아이돌 가수들이 어린 시절부터 혹독한 훈련을 받고, 성형수술 같은 극단적 수단이 동원되기도 하며, 상품화와 자본논리에 지배당하는 현실을 우려하긴 했지만, 사설 내용은 대체로 호의적이었다.

예상할 수 있듯, 보수언론의 보도는 긍정일변도였다. 《조선일보》는 한국 아이돌을 향해 울부짖는 프랑스 소녀의 사진을 싣고는, 그 옆에 "50년 전 값싼 생필품 팔던 한국이 이제 문화로 서구 선진국을 사로잡았다"고 썼다. 생모 가발과 값싼 의류를 만들어 팔던 나라가 문화 수출국으로 우뚝 섰으니, 이 격세지감에 행복해하면 되는 것일까?

삶과 꿈을 파괴하는 착취구조

정확히 말하면, 한국은 50년 전이 아니라 30년 전까지도 노동집약적 상품을 만들어 팔았다. 한국 물건은 싼 가격에 높은 품질로 '서구를 휩쓸었으며', 오늘 우리가 '케이팝 전사'를 자랑스러워하듯 정부 관리들은 '산업전사'와 '수출역군'의 쾌거를 뿌듯해했다.

이 '성공' 뒤에는 아이돌 그룹 또래의 소녀들이 있었다. 과거의 '걸그룹'들은 무대 위에서 스텝을 밟는 대신 섬유먼지 날리는 평화시장에서 재봉틀을 밟았다. 걸그룹은 날씬한 몸을 보여주기 위해 저열량 식단을 강요받지만, 직공은 생산효율을 위해 '저수분 식단'을 강요받았다. 국이나 물 등 수분을 많이 섭취하면 화장실에 자주 가는 '낭비'가 발생했기 때문이다.

어린 직공들은 '타이밍' 이라는 각성제로 졸음을 쫓으며 밤낮없이 재봉질을 했다. 이들의 건강이 무너질수록 기업 회장실의 '수출기념탑' 은 늘어갔고, 언론에 "외국인들, 한국 물건에 '원더풀' 연발"이라는 헤드라인이 자주 등장했다. 당시 직공들의 노동환경은 브루스 커밍스의 말대로 "단테마저 졸도할 지경"이었다.

나는 한국의 문화상품이 잘 팔리는 데 반대하지 않는다. 한국산 옷이 잘 팔리는 데 반대하지 않듯 말이다. 내가 하고 싶은 말은 단 하나, 언론의 환호와 정부의 호들갑에 눈이 멀어 아이돌을 '성공' 하게 만드는 비극적 현실을 외면하지 말자는 것이다. 그러지 않으면 화려한 무대 뒤 한숨은 늘어날 것이며, 우리는 아이돌뿐 아니라 모든 젊은이의 삶과 꿈을 파괴하는 공모자가 될 것이다.

불행히도 한국 언론은 문제를 파악하거나 해결하는 데 도움이 되지 않는다. 단기간 다이어트로 몸무게의 절반을 줄인 걸그룹 멤버가 있다고 하자. 그래도 괜찮냐고 걱정하는 게 우리의 상식일 것이다. 하지만 신예 3인조 걸그룹 '벨라' 단원이 데뷔를 위해 30킬로그램을 뺐을 때, 언론보도의 제목은 〈루시, 데뷔 위해 30킬로그램 폭풍 감량 '근성돌' 〉이었다.

한 가지 질문을 해보자. 아이돌에게 눈물을 흘리며 열광하는 한국의 10대들을 보면 뿌듯한가? 당신이 기획사 직원이 아닌 경우에 말이다. 이제 장소를 바꾸어 프랑스 파리로 가자. 한국 아이돌에게 눈물을 흘리며 열광하는 프랑스 10대들을 보면 흐뭇한가? 이 두 가지 질문에 서로 다른 대답을 해야 한다거나 혹은 '흐뭇함' 의 크기가 다르다면 그 이유가 무엇인지 생각해보자.

■

'한류'에 가장 열광하는 사람은 한국인들 자신이다.
아이러니하게도, 한국 문화가 세계화되면서 국민들의 국가주의적 태도는 오히려 강화되었다.

© 이정민

우리들 마음에서 보편적으로 발견되는 욕망이 있다. 한국에 대해 불만을 가지고 있으면서도 한국을 끊임없이 알리거나 자랑하고 싶어 하는 모순적 욕망 말이다. 물론 자기 나라에 애정과 자부심을 갖는 것은 좋은 일이다. 문제는 이로 인해 비이성적이거나 심지어 비윤리적인 선택까지 하는 경우가 있다는 것이다.

2005년 황우석 박사의 줄기세포 조작 사실이 드러났을 때, 우리 가운데 많은 사람들이 '수치스럽다'는 이유로 명백히 그릇된 행위를 덮어두고 싶어 했다. 이 사건의 주역을 영웅으로 떠받든 것 역시 '한국을 빛냈다'는 이유에서였다. 외국인들, 특히 백인(게다가 금발에 파란 눈이면 더욱)이 한국을 칭찬해주면 우리는 말 그대로 환장한다. 한글이 쓰인 옷을 입거나 태극기를 들고 나오는 날엔 넋을 잃는다. '한류'에 가장 열광하는 사람은 외국인이 아니라 한국인들 자신이다.

세계를 바라보는 우리 눈은 1970년대 언론이 유포한 "외국인 원더풀 연발"에 머물러 있다. 도덕관념이 '쓰레기 버리지 않기'에 머물러 있듯 말이다. 이마저도 '선진시민' 혹은 '세계가 지켜본다'는 타자화 담론과 함께 등장한다. 우리는 왜 이렇게 되었을까? 한국의 10대들이(물론 10대만이 아닐 것이다) 걸그룹에 열광할 때, 우리 마음 한구석에서 피어오르는 불편한 느낌을 억누르기 어렵다.

"저렇게 어린 나이에 의무교육까지 포기하고 활동해도 괜찮을까?"

"'노예계약' 이야기도 나오는데, 기획사가 수익은 제대로 분배해 줄까?"

"아무리 연예인이라지만, 미성년자가 몸을 흔드는 걸 보며 즐거워해도 괜찮을까?"

"청소년들 거식증 문제가 심각하다는데, 아이돌이 미성년자들에게 왜곡된 자아 이미지를 심어주지는 않을까?"

이런 염려는 아이돌 팬이라도 한 번씩은 던져보는 질문일 것이다. 하지만 이들이 '서구 선진국'에서 '대한민국'을 빛내는 순간, 모든 불편한 느낌은 흔적도 없이 사라진다. 아이돌이 어떤 조건에서 일하든, 외국인들 머리에 '대한민국'만 심으면 되는 것일까? 우리가 '진출'해서 퍼뜨린 문화가 외국 청소년과 사회에 어떤 영향을 끼치든, 우린 벌어온 돈만 세면 되는 것일까?

한류 성형, 한류 거식증

모두 알고 있듯 아이돌의 이미지는 가공된 것이다. 스파르타식으로 억누르고, 엄격히 열량을 통제하고, 성형으로 뜯어고치고, 포토샵으로 다듬어서 내놓은 인공의 이미지다. 이렇게 상품화된 신체는 현실의 신체를 억압한다.

특히 우려스러운 부분은 충분한 영양을 섭취해야 할 청소년들에게 영양부족의 저체중 신체를 규범화하고 이상화한다는 점이다. 예컨대 높은 인기를 누리는 아이돌 그룹의 한 멤버의 경우, 정상체중에 9킬로그램이나 미달하는 심각한 저체중 상태다. 그러니 아이돌 이미지에 일상적으로 노출되는 청소년들이 자신의 몸에 대해 왜곡된 인식을 갖게 되는 것은 당연하다.

2010년 발표된 식품의약품안전청 조사는 상황의 심각성을 보여준다. 한국 10대 소녀(13~17세)들의 절반 가까이가 자신의 몸이 '뚱뚱하다' 고 판단했으나, 이들의 77%가 정상이거나 심지어 저체중이었다. 7~12세 어린이들조차 30% 이상(남자 23%)이 스스로 비만이라고 생각했으나, 사실은 63%가 정상 혹은 체중 미달이었다. 거식증 문제도 심각했다. 식약청이 중고생을 대상으로 조사한 결과 12.7%가 거식증의 전 단계인 식사장애를 겪고 있었다. 특히 여학생 중 14.8%가 고위험군으로 분류됐다.

자신의 몸에 불만을 품을수록 불행하다고 느끼게 되므로, 아이돌의 경쾌한 몸짓과 화사한 웃음은 청소년들을 행복보다 불행 속으로 몰아넣고 있는 셈이다. 물론 '행복을 향한 문' 은 열려 있다. 성형산업과 미용산업을 향해서 말이다. 이미 2008년에 서울에 사는 15~24세 여성의 49.3%가 "성형수술을 할 의향이 있다" 고 답했다.

최근에는 '한류 성형' 이 유행이라고 한다. 한국의 미디어 이미지가 세계적으로 확산되면서 외국 수용자들 사이에도 자아 이미지 왜곡 현상이 발생하고 있는 것이다. 하지만 우리는 그들이 '한국식 화장' 을 하고, 아이돌 몸매를 만들기 위해 굶고, 한국의 병원을 찾아 '한류스타' 와 비슷한 모습으로 성형한다는 보도를 보며 즐거워한다. 이 문제를 다룬 한국 언론보도의 제목은 이렇다. 〈성형관광, 차세대 한류산업으로 '우뚝'〉

한국식 '아이돌 시스템'이 '성공 사업모델'로 인식되면서, 새로운 '시장 진입자'들이 대거 늘었다. 경쟁이 가열되면서 나타나는 현상은 아이돌 연령대가 계속 낮아진다는 점이다. 고등학생과 중학생은 다반사고, 이제 초등학생 걸그룹까지 등장하고 있다.

7인조 걸그룹인 에이핑크(A Pink)는 1명을 빼고는 모두 미성년자들로 시작했다. 지피베이직(GP Basic)의 2010년 데뷔 당시 평균 연령은 15세로, 12세 초등학생도 포함되어 있으나 '언니' 걸그룹들과 다름없이 하이힐에 짧은 스커트를 입고 현란한 동작을 마다하지 않는다. 이들도 일본 진출을 포함해 꽉 짜인 일정을 소화하고 있다.

하지만 지스토리(G Story)에 비하면 지피베이직조차 '올드 그룹'에 속한다. 지스토리는 2010년 평균 연령 9.75세의 걸그룹으로 출발했다. 1999년생이 팀 내 '최고령'이다. 이쯤 되면 1970년대의 평화시장 여직공이 아니라 산업혁명 시절 아동노동이 떠오를 정도다. 그나마 평균 9세를 넘겨 1819년 공장법이 정한 '9세 이하 금지' 기준을 충족시켰으니 다행일까?

연령대가 계속 낮아지는 이유는 간단하다. 오래 써먹을 수 있기 때문이다. '귀여움'과 '발랄함'이 무기인 아이돌 그룹은 수명이 짧을 수밖에 없다. 따라서 일찍 발굴하고 일찍 시작하면 '가동 기간'을 최대한 늘릴 수 있는 것이다. 물론 어린 팬을 끌어들여 소비자층을 넓히는 데도 도움이 된다. '문화'와 '상품'을 구분할 수 없게 된 나라에서, 어린 연예인은 '효율적 상품구성'의 핵심축이 되었다.

여기서 한 가지 궁금증이 생긴다. 이윤을 노리는 기획사가 아이돌이라는 '인기 상품'에 집착하는 건 당연하지만, 그렇게 많은 청소년들이 아이돌이 되길 원하는 이유는 무엇일까? 화려한 무대와 인기에 매혹되어서? 물론 그럴 것이다. 하지만 더 큰 이유가 있다. 한국 사회에서 살아남는 방법이 학벌 말고는 이 길밖에 없기 때문이다.

하지만 아이돌을 향한 길도 만만치 않다. 경쟁률이 1000 대 1에 가까운 오디션을 통과해야 하고, 혹독한 스파르타식 훈련을 거쳐 춤과 동작을 익혀야 한다. 몸만 고생하는 게 아니다. 초국적 시대에 '수출 상품'으로 뛰기 위해서는 다양한 외국어도 익혀야 한다. 기획사가 기획한 행사에 참여해야 하는 건 당연하고, '데이트 금지' 같은 신변상 제약도 감수해야 한다.

어디서 많이 본 것 같지 않은가? 한국 입시제도, 더 나아가서는 한국식 경쟁체제의 '연예계 축소판'이다. 이 체제에서 학생, 연예지망생, 국민은 자원 혹은 소모품으로 전락하고, 이들이 흘린 땀의 결실은 온전히 대학, 기획사, 국가에게 돌아간다.

탈락자를 배려할 필요는 없다. 줄 선 사람들은 널렸으니 말이다. 누가 견디지 못해 그만둔다 해도, 빈자리는 즉시 다른 멤버로 채워진다(이것이 '아이돌'을 여러 명으로 구성하는 이유 중 하나다. 개인이 두드러지는 것을 막아야 탈락자가 생겨도 그룹의 이미지를 유지할 수 있기 때문이다). 삶의 가치가 오직 '학벌'과 '무대'에 한정되어 있으므로, 대학이 등록금을 올리고 기획사가 가혹한 계약조건을 내걸어도 장사하는 데 아무 문제가 없다.

지원자들에게는 현란한 꿈을 배포하고, 관중에게는 '자랑스러운 조국'의 뿌듯함을 심어준다. 이렇게 해서 우리는 모두 젊은이들의 희생과 착취에 공모하게 되고, 가해자와 피해자는 부둥켜안고 함께 열광한다. 이렇게 착취사회는 지속된다. 교정에서, 그리고 무대 위에서.

88만원 세대에 기생하는 '오빠 산업'

참 이상한 일이었다. 한국 성평등 순위가 세계 최하위 수준이라는 사실을 몰라서가 아니다. 2010년 세계 성평등 순위에서 한국은 134개국 가운데 104위를 했다. 20대 여성 자살률은 OECD 평균의 두 배가 넘고, 50대 여성의 행복지수는 세계에서 가장 낮다. 한국에서 여자로 태어나는 순간 차별과 불행을 피할 수 없는 것이다.

그래도 이해할 수가 없었다. 별안간 '오빠' 바람이라니. '오빠 나 좀 봐', '너무 부끄러워', '몰라몰라', '처음이야', '떨려와요', '동생으로만 생각하진 말아', '난 울지도 몰라', '나는 바본가 봐요', '난 다 믿었어'.

아니, 믿을 사람을 믿어야지, 가정에서는 폭력, 사회에서는 차별을 재생산해온 오빠를 믿는다니. 이 척박한 야만의 땅에서 한국 여성들은 차별과 고정관념에 맞서 끈질기게 싸워오지 않았던가. 내가 보기에 이 난데없는 '오빠 바람'은 명백한 퇴행이었다.

대체 언제부터 오빠가 이렇게 믿음직스런 존재가 됐을까? 2009년 한국여성의전화 조사에 따르면, 데이트를 해본 젊은 여학생 중 78%가 정서적 폭력을 경험한다. 결혼 후에는 절반이 남편, 즉 '옛 오빠'가 휘두르는 폭력과 학대를 겪는다는 게 2011년 여성가족부 '가정폭력실태조사' 결과다(한국 남성이 아내에게 폭력을 행사하는 비율은 영국이나 일본의 다섯 배가 넘는다). 직장에서도 남성에 비해 38%나 적은 보수를 받아, OECD 평균 임금 격차의 두 배를 훌쩍 넘는다('언니'들이 이런 차별을 지지하는 경우는 많지 않다). 복고가 유행하더니, 갑자기 젊은 여성 세대가 전통적인 '의존형'으로 회귀하기라도 한 것일까?

착각하지 말자. '오빠' 바람이 보여주는 건 아저씨들의 욕망일 뿐이다. 어린 소녀들을 고용해 '오빠' 노래를 부르게 하는 기획사 대표들 대다수가 남자고, 노래 가사를 쓴 사람들 역시 거의 예외 없이 남자들이다. 원더걸스의 대표곡 〈텔 미〉와 〈노바디〉는 박진영이 곡과 가사를 썼고, 소녀시대의 히트곡 〈소원을 말해봐〉, 〈오!〉, 〈지(GEE)〉, 〈훗〉의 가사를 쓴 것도 유영진, 김정배 등 모두 남자다.

물론 남자들이 여자 가수의 곡을 쓰는 경우는 흔하다. 여기서 말하고 싶은 것은, 걸그룹이 외치는 '오빠'가 '동생'들의 욕망과는 아무런 관계가 없다는 것이다. 그들은 중년 남자들이 쓴 남성적 욕망을 립싱크하고 있을 뿐이다. 하긴, 오빠만큼 오빠의 욕망을 잘 아는 사람이 또 있겠는가. 머리만 한 리본을 달고 손으로 하트를 그리는, 얼굴은 아이고 몸은 어른인 반인반수, 아니 '애교 소녀'. 남자들의 욕망은 이렇게 단순하다.

물론 '오빠' 노래가 최근에 처음 등장한 건 아니다. 하지만 여자 가수들이 약속이나 한 듯 동시에 '오빠'를 불러대는 모습은 과거에도 보기 드문 장면이었다. 대체 어떤 연유로 '오빠 강풍'이 불기 시작했을까?

'오빠' 소리를 듣고 싶은 남자들이 많기 때문일 것이다. 걸그룹에 열광하는 남자 팬들의 다수가 연애조차 하기 힘든 비정규직 세대이기 때문이다. 이들이 걸그룹에 환호하는 이유는 이른바 '초식남'이 만화주인공과 사랑에 빠지는 이유와 비슷하다. 그들에게 걸그룹은 '망가걸'의 실사판인 셈이다.

한국 걸그룹이 외환위기 이후에 등장했다는 사실은 의미심장하다. 특히 한국 경제가 장기침체로 들어선 2000년대 후반 등장한 원더걸스나 소녀시대는 1990년대 후반의 S.E.S.나 핑클 등의 '1세대 걸그룹'과 구별되는 특성을 보인다. 훨씬 어리고, 노출 정도가 심하며, 몰개성적이고, '리드보컬' 개념이 매우 약하거나 존재하지 않으며, 대규모 오디션과 '연습생' 제도에 의존한다.

'롤리타 콤플렉스'라 불리는 소아성애는 약화된 남성성과 관련이 있다. 경제적 능력이 남성 권력의 토대인 가부장제 사회에서 경제력의 상실은 곧 남성성의 상실을 의미하게 된다. 한국 경제가 장기침체에 들어서면서 어린 '2세대 걸그룹'이 등장했듯, 일본 역시 1980년대 경기침체를 겪으면서 '로리콘(ロリコン) 캐릭터'가 급부상했다. 한국 걸그룹과 일본의 '로리콘 캐릭터'의 속성은 동일하다. "어린

얼굴에 성인의 몸을 가진, 위협적이지 않은 성적 대상"이다. 약화된 남성들에게 성숙하고 당당한 여성은 감당할 수 없는 위협이기 때문이다.

《게으름뱅이 정신분석》의 저자 기시다 슈도 비슷한 맥락에서 성범죄를 분석한다. 그에 따르면, 성범죄자는 남성성이 넘치는 사람들이 아니다. 이들은 정상적인 교류 상황에서는 성능력을 발휘할 수 없는 '고자' 혹은 '불능남'이기 때문에, 여성을 위협해 무기력한 상태로 만들거나 아예 저항능력이 없는 연소자나 장애인을 택해 범죄를 저지른다는 것이다.

한국 대중문화 연구자인 스티븐 엡스타인과 제임스 턴불이 《한국 대중문화 독본(*Korean Popular Culture Reader*)》 기고문에서 잘 정리했듯, 한국 걸그룹은 '순진', '애교', '수줍음', '수동성', '도발' 등의 특성을 갖는다. 얼핏 보면 '순진', '수줍음', '수동성'은 '(성적) 도발'과 대치되는 듯하지만, 사실은 모두 '도발'을 위한 장치일 뿐이다. 무기력한 남성을 도발하기 위해서는 순진하고, 여리고, 수동적인 여성 이미지가 필요하기 때문이다.

한국에 등장한 '꽃미남', '화장하는 남자', '초식남'은 일본이 앞서 경험한 현상이다. 그렇다면 한국 걸그룹이 해외에서 얻는 인기는 경기침체로 인한 '롤리타 콤플렉스' 및 일본 '로리콘 캐릭터'의 보편화와 떼어놓고 생각하기 어렵다.

아이돌 바람을 일으킨 기획사 대표들에게는 몇 가지 공통점이 있다. 스스로 연예계에서 활동하며 발을 넓힌 중·장년층 남자들이라는 것이다. 이들은 경제위기 이전에 사회에 진출해 상당한 부를 축적한 기성세대면서도, '비정규직 세대'와 취향을 공유할 수 있을 만큼 젊다.

다시 말해, 아이돌 기획자들은 무력한 남성들의 욕망을 이해할 만큼 젊고 영악한 '동료 남자'들인 동시에, 이 수요를 가공해 상품으로 내놓을 수 있을 만한 돈과 연줄을 지닌 사람들이다. 반면에 대다수 젊은 세대가 지닌 건 욕망과 (아르바이트로 모았을) '미니앨범'을 겨우 살 주머니 푼돈뿐이다.

실업과 비정규직이 공급하는 '아이돌의 꿈'

한국의 현재 청소년들은 꿈을 꿀 수 없는 불우한 세대다. 유치원 시절부터 학교, 학원, 과외로 이어지는 가혹한 경쟁체제 속에서 고통받지만, 이들에게 준비된 미래는 없다. 소수의 '좋은' 대학을 갈 경쟁력은 돈으로 길러지고, 운 좋게 입학 기회를 얻는다 해도 돈 없이는 학교에 다닐 수도 없으며, 살인적인 (그리고 값비싼) '스펙' 경쟁도 불가능하다. 졸업생을 기다리고 있는 것은 차별, 실업, 비정규직으로 이어지는 잔인한 현실이다.

아이돌 그룹은 이 가엾은 세대에게 두 가지 의미의 '위안'을 준다. 하나는 암울한 현실을 잠시 잊을 수 있는 오락이고, 다른 하나는 '나도 아이돌이 될 수 있다'는 꿈이다. 하지만 이 '위안'은 기획사가 비정규직 세대를 피라미드형 착취구조로 이끄는 미끼에 지나지 않는다. 젊은 세대는 아이돌 음악을 사는 소비자인 동시에, 오디션에 참여해 '아이돌 예비군'인 연습생 자리를 채워주는 '인력풀'이다.

이들은 기획사에 수익과 인력을 댈 뿐 아니라, 열광과 환호로 아이돌에게 매력적인 지위도 부여한다. 결국 '아이돌의 꿈'을 구성하는 부, 인기, 명성은 모두 비정규직 세대 자신들이 공급하는 것이다. 하지만 꿈의 주인공이 되는 것은 오직 기획사를 통해서만 가능하다.

오디션은 누구에게나 열린 평등한 기회가 아니다. 가장 중요한 것은 육체다. 기획된 노출 용도에 적합한 '규격'에 맞는 몸을 가져야 한다. 기획사는 창의적 재능을 갖춘 사람을 원하지 않는다. 가장 이상적인 자질은 기획사가 정한 동작을 완벽히, 기계적으로 따라 하는 '길들이기 쉬운' 신체다.

아이돌 지망생들은 1000 대 1 가까운 경쟁을 뚫고 오디션을 통과해야 겨우 연습생 자격을 얻는다. 물론 다수가 교습소에서 춤과 동작을 배우고, 다이어트와 성형을 거치는 등 '선행 훈련'을 쌓는다. 그리고 이렇게 선발된 연습생 가운데 2~3%만이 그룹으로 활동할 기회를 얻는다.

연습생들이 고된 훈련과 불투명한 미래를 견디는 이유는 단 하나다. '내게도 기회가 올 것'이라는 막연한 희망 때문이다. 그러나 이 '희망'은 대단히 잔인한 훈육체계다. 연습생들에게는 보상이 불확실한 노동을 지속하게 하고, 데뷔한 그룹에게는 '너를 대신할 사람은 널렸다'는 위협이 되기 때문이다. 다음의 글은 이 점을 잘 지적하고 있다.

그룹을 꾸려 데뷔를 준비하는 것도 마음과 취향이 맞는 연습생끼리

■

청소년들이 연예계에 열광하는 이유는
공부가 아니어도 사회에서 인정받을 수 있는 유일한 길이기 때문이다.

ⓒ 이정민

어울려 이루는 것이 아니다. 소속사가 기획하는 그림에 따라 멤버가 추려지고, 그룹 안에서 맡아야 할 역할에 따라 지시된 이미지대로 움직여야 한다. 여기서 밉보이거나 엇나가면 이들을 자산으로 관리하는 기획사는 본보기로 멤버 가운데 하나를 탈락시킨다. 이런 으름장은 신인 연예인을 다스리는 효과적인 전략이다.

_ 이안, 〈원더걸스 선미 탈퇴로 비춰본 아이돌에 대한 허상〉, 《미디어오늘》, 2010. 1. 26.

아이돌계의 노동유연화와 비정규직화

과거의 아이돌 그룹은 각 구성원이 뚜렷한 개성을 지니고 있었고, 서로 구분되는 역할을 했다. 그로 인해 한 명이라도 빠지게 되면 그룹 전체가 타격을 받곤 했다. 한 멤버의 탈퇴로 그룹이 해체되는 경우도 흔했다. 그러나 2000년대 후반에 나타난 아이돌 그룹은 비슷한 키에 비슷한 몸매를 갖고 있고, 그룹 내의 역할도 차별성을 갖지 않는다. 이제 구성원은 언제라도 대체될 수 있는 '규격 부품'이 된 것이다.

원더걸스의 경우, 현아와 선미가 탈퇴한 자리는 곧 다른 멤버로 채워졌고 아무 문제 없이 그룹이 운영되었다. 걸스데이 기획사 역시 지선과 지인의 탈퇴 발표 후 나흘 만에 새 멤버를 영입했다. 남성 아이돌 그룹 유키스 또한 기범과 알렉산더가 남긴 빈자리를 신인으로 보충해서 활동을 계속하고 있다. 결국 아이돌 시스템은 노동을 손쉽게 대체하기 위한 '연예계의 노동유연화' 또는 '비정규직화'인 셈이다.

아이돌 시스템을 '착취'로 보는 데 모든 이가 동의하지는 않을 것이다. 이렇게 묻는 사람도 있을 것이다. 고되고 불확실한 과정이라지만, 누가 강요한 것도 아니고 스스로 원해서 하는 일 아니냐고.

그렇다면 가혹한 입시제도도, 살인적인 등록금도, 젊은이의 미래를 절망스럽게 만드는 비정규직도 별문제가 아니다. 누가 대학 가라고, 누가 비정규직으로 일하라고 강요하던가. 선택이 제한된 사회에서 '자발적 선택'이란 얼마나 허망한 말인가. 《한겨레》에 실린 한 아이돌 지망생의 말을 들어보자. 이 고등학생은 어렵사리 쌍꺼풀 수술을 한 후, 이제 코 성형을 목표로 편의점, 패스트푸드점, 주유소에서 아르바이트를 하고 있었다.

> 어린 나이에 그토록 힘든 일을 감내해가며 연예인이 되고 싶은 이유가 뭐냐고, 이른바 '불공정 계약서'를 쓰고 젊음과 재능을 착취당하는 아이돌 얘기 못 들어봤느냐고 겁주는 소리를 했더니 그 친구가 말했다. "기자 언니, 솔직히 말해보세요. 나처럼 돈 없고 '빽' 없고 성적도 그저 그런 애가 그럭저럭 대학 가면 그다음엔 뭐 있어요? 지금은 좀 힘들어도, 기획사에만 들어가면 나한테는 진짜 '기회'가 오는 거잖아요."
>
> _〈빽 없는 연예지망생 '성공시대' 저무나〉, 《한겨레》, 2011. 6. 17.

2010년 여성가족부는 청소년 연예인(지망생 포함)을 대상으로 설문조사를 했다. 그 결과를 보면, 미성년자 연예인들의 '자발적 선택'이 어떤 것인지 알 수 있다. 응답자의 36%가 하루 8시간 이상 초과

근무를 하고, 41%가 야간과 휴일에도 일하고 있었다. 미성년자인 이들 중 10%가 신체 노출을 경험했다고 말했고, 그중 60%가 강요에 의해서라고 답했다.

앞의 《한겨레》 기사를 더 읽어보면 이런 기회조차 평등하게 주어지지 않음을 알게 된다. '돈 없고 빽 없는' 아이들에게도 기회를 주는 듯했던 연예기획사들이 이제 돈과 배경을 갖춘 지망생을 선호하는 것이다.

> "형편이 어려운 아이들은 헝그리 정신 덕분에 빨리 성장하긴 하는데, 성공한 뒤에는 집안의 실질적 가장 노릇을 하기 때문에 계약서 관련 소송을 일으킬 확률이 높다"는 논리라고 한다. "반면 있는 집 아이들은 돈 문제에 민감하지 않고 '강남 키드', '엄친아' 이미지에 힘입어 광고계에서도 각광받는다"고 했다.
>
> _〈빽 없는 연예지망생 '성공시대' 저무나〉, 《한겨레》, 2011. 6. 17.

일부 아이돌 지망생이 일반인들은 상상하기 어려운 부를 얻는 것은 사실이다. 그렇다고 해서 아이돌 시스템이 정당화되는 것은 아니다. 이 체계는 피라미드 하층부 다수의 희생에 기초를 두고 있기 때문이다. 한국의 입시교육이 소수에게 혜택을 준다고 해서 절대다수를 들러리로 희생시키는 행위가 정당화될 수 없듯 말이다.

당신이 아이돌의 팬이든 아니든 상관없다. 그들이 좇는 꿈이 칭찬할 만하다고 생각하면, 그 꿈이 행복한 결실을 맺도록 보살필 일이다. 만일 그 꿈이 철부지들의 몽상이라고 생각한다면, 입시와 오디션을 거치지 않아도 기쁘게 살 길을 마련해주자. 그게 진정 '오빠'와 '누나'가 할 일이다.

한국 교회의 증오가 낳은 폭력

2012년 봄, 레이디 가가 내한공연을 두고 말도 많고 탈도 많았다. 하지만, 잠실경기장 안을 채웠던 환호는 사라지고, 공연장 밖에서 들려오던 우려의 목소리도 사그라졌다. 열광했던 팬도, 분노했던 반대자도 이 뜨거웠던 사건을 잊었을 것이다. 어찌 됐든 지난 일, 이제 이 일을 기억 저편으로 흘려보내도 좋을까?

아니다. 그래서는 안 된다. 그렇게 잊고 만다면 우리는 아무 교훈도 얻지 못한 채 똑같은 실수를 반복하게 될 것이다. 그것도 비극과 희극으로 두 번만 반복하는 게 아니라 같은 희극을 수도 없이 되풀이하게 될 터이다.

먼저 교회에 묻고 싶다. 공연 현수막이 찢어진 게 공연을 막으라는 하나님 뜻이라고 했다. 그렇다면 공연이 성황리에 끝난 것은 어떻게 봐야 할까? 하나님 뜻이었을까, 아니면 그저 한국 교회 지도자들의 믿음이 부족했던 탓일까?

교회가 '사탄의 궤계'를 막지 못한 크나큰 책임을 어떻게 질지도 궁금하다. 반대자들은 가가 공연이 한국 사회를 파국으로 몰아넣을 거라고 했다. 모든 일이 마귀의 뜻대로 이뤄졌으니 이제 눈을 질끈 감고 타락과 죽음과 아비규환을 기다려야 하는 것일까?

레이디 가가와 교회, 누가 더 폭력적인가

공연이 시작되던 순간, 반대했던 사람들의 마음속은 안타까움과 절망으로 가득 찼을 것이다. 비록 생각은 다르지만 나는 이들의 선한 의도를 의심하지 않는다. 이들 가운데는 교회의 입장을 맹목적으로 따른 이도 있겠으나, 스스로 믿는 바를 표현한 사람도 적지 않을 것이다.

어떤 사람들은 공연장 주위에서 시위를 벌이고 기도를 하는 교인들을 부끄럽게 여기기도 했을 것이다. 하지만 내 생각은 다르다. 민주사회에서는 누구나 자신의 의사를 표명할 권리가 있다. 내가 우려했던 부분은 공연 자체를 취소시키려고 했다는 점이다. 그것은 단순한 의사표현을 넘어 타인의 공연을 관람할 권리를 빼앗는 행위다.

"그럼 죄악을 내버려두라는 말이냐"고 흥분할 분도 있을 것이다. 하지만 못 막지 않았는가. 그저 못 막은 정도가 아니라 오히려 관심을 고조시켜 관객 수를 늘려놓았다. 게다가 대외적으로 교회가 소통하기 어려운 비이성적 집단이라는 고정관념만 심어주었다. 내버려둔 것보다도 못한 결과를 자초한 것이다.

차라리 레이디 가가에 대해 객관적인 정보를 제공한 후 비판적 수용을 권하는 편이 현명했을 것이다. 하지만 교회 지도부가 채택한 성명서는 왜곡된 정보투성이였으며, 그들이 가가에 보인 태도는 증오와 음해에 가까웠다. 일부 교인은 "병이 나든지, 사고가 나서 공연을 못하게 해달라고 기도하자"고 제안하기도 했다. 이쯤 되면 누가 누굴 저주하고 누가 폭력을 조장하는지 모르겠다.

교회의 앞뒤 안 맞는 행동도 이해하기 힘들었다. 레이디 가가 공연을 잠시만 봐도 큰일이 난다면서, 수십 회 공연 중 가장 폭력적인 장면만 편집해서 유포하는 건 뭐란 말인가? 극렬한 반대운동을 벌이던 한 목사는 '모니터링'을 한다며 공연장에 앉아 공연 내용을 트위터로 실시간 생중계하기도 했다. 그 해롭다는 공연을 말이다. 우습게도 그의 관전평은 "믿어지지 않을 정도로 얌전하다"는 것이었다.

시시해 보이는 게 당연하다. 잔인한 장면만 모은 '교회 특별판'을 보며 기대를 키웠을 테니 말이다. 한국에서 특별히 얌전히 군 게 아니라 레이디 가가의 공연 자체가 그렇다. 그것도 "18금 공연의 진수를 보여주겠다"며 수위를 높인 게 그랬다. 별것도 아닌 걸 긁어 부스럼 만들었다는 걸 교회 스스로 인정한 꼴이다(레이디 가가가 사회문제가 된다면, 그건 교회 일각에서 배포한 '엑기스 폭력판' 때문일 가능성이 크다).

어쨌든 교회는 편집판에 이어 직접 공연까지 관람한 목사가 이상 행동을 보이지 않는지 잘 살필 일이다. 교회 편집판을 만든 사람도 경계해야 한다. 잔인한 장면만 추려내느라 얼마나 오랜 시간 '어둠과 죽음의 영' 속을 휘젓고 다녔을 것인가. 교회의 우려대로라면 갑자기 커밍아웃을 하거나 폭력적으로 돌변할 수도 있고, 목이 돌아가거나 녹색 액체를 토해낼지도 모를 일이다. 특히 그 사람 주위에 고양이가 어슬렁거리지 않도록 해야 한다.

누가 누구에게 돌을 던지나

교회의 공연 반대를 비판하는 칼럼을 쓴 후 많은 이메일을 받았다. 황우석의 연구조작과 심형래의 〈디워〉를 비판했을 때보다 더 격한 반응이었다. 예상할 수 있듯, 대다수가 개신교도들이었다. "균형 잡힌 시각을 갖게 해줘서 고맙다"는 내용도 있었으나, 대다수가 항의편지였다. 엇비슷한 내용을 담은 메일들을 요약하면 이렇다.

1) 당신은 교인이 아니다.
2) 당신은 사탄이다.
3) 당신은 동성애자다.

그리고 거의 예외 없이 성경 열심히 읽고 기도하라는 결말로 마무리되었다. 하지만 그들 말대로 내가 1) 교인이 아니고, 2) 사탄이라면, 성경 읽고 기도할 이유가 없지 않은가? 내가 3) 동성애자라면 자동으로 1)인 동시에 2)가 될 테니 두말할 필요 없을 것이다.

한국교회언론회는 레이디 가가 공연 반대성명에서 "그가 공연했던 국가마다 동성애를 허용하는 법안 통과가 쉽게 이루어지며", 가가의 2009년 첫 내한공연 이후 "국내 동성애 허용에 대한 요청이 거셨다"고 주장했다. 미안하지만 한국 정부는 동성애를 금하고 있지 않다. 법으로 금지되지도 않았는데 뭘 '허용'하고 '합법화'한단 말인가.

어떤 교인은 내 글에서 "예수라면 고난받는 동성애자를 위로했을 것이다"라는 부분을 문제 삼았다. 구약에 따르면, 음란죄를 지은 사람은 돌로 쳐 죽여야 한다는 것이다. 그게 진정한 신앙인의 임무라고 믿는다면, 그는 왜 직접 돌을 들어 '신의 뜻'을 수행하지 않는 걸까.

비록 돌을 사용하지는 않았으나 가까운 방식으로 믿음을 실천한 이가 있었다. 바로 아돌프 히틀러다. 그는 동성애를 다룬 문서를 불태우고 수만 명의 동성애자들을 체포해 가스실로 보냈다. 히틀러는 기독교인이었으며 무신론자들을 '빨갱이'로 부르면서 저주하곤 했다. 한국 교회는 남을 재단하는 잣대로만 성경을 사용하고 있지 않은지 돌아볼 일이다. 교회는 스스로 얼마나 예수의 말씀을 실천하고 있는가?

믿는 무리가 한마음과 한뜻이 되어 모든 물건을 서로 통용하고 자기 재물을 조금이라도 자기 것이라 하는 이가 하나도 없더라. 사도들이 큰 권능으로 주 예수의 부활을 증언하니 무리가 큰 은혜를 받아 그중에 가난한 사람이 없으니 이는 밭과 집 있는 자는 팔아 그 판 것의 값을 가져다가 사도들의 발 앞에 두매 그들이 각 사람의 필요를 따라 나누어줌이라.

_〈사도행전〉 4:32~35

많은 교회가 가난한 사람이 없도록 물건을 서로 통용하고 "각 사람의 필요를 따라 나누어주기"는커녕, 몇 푼 되지도 않는 저소득층 보호정책까지 거품 물며 반대하지 않았던가?

엉뚱한 곳에 거품 무는 교회와 정부

내가 아무리 비난에 익숙한 사람이라지만, '사탄'이라는 평가가 줄을 잇는데 유쾌할 리가 없다. 기분 전환을 위해 음악을 듣기로 한다. 이왕 이렇게 된 거 '확 비뚤어져버릴까' 하며 듣지도 않던 가가 음반을 들여다보다가, 그러다가는 정말 사탄이 된 기분이 들 것 같아 그만두기로 한다.

교회가 반대하지 않을 '건전한 음악' 중에서 차이콥스키 교향곡 6번 〈비창〉을 고른다. 좋아하는 번스타인 지휘로 듣기로 한다. 한참 듣다가 생각해보니, 차이콥스키는 역사가들에 의해 동성애자 혹은 양성애자라는 평가를 받고 있고, 번스타인은 확실한 양성애자였다. 음악을 바꿔야 할 것 같다. 로시니의 〈성모애가(Stabat Mater)〉. 이보다 성스러운 음악이 있을까.

하지만 또다시 문제가 생긴다. 독일 시인 하이네가 이 음악을 "주제에 맞지 않게 너무 세속적이고 감각적이고 쾌활하다"고 비판했기 때문이다. 하이네는 유대인으로 태어났으나 기독교로 개종한 독실한 신자였다. 하지만 그가 조금만 늦게 태어났다면 히틀러의 가스실에서 최후를 맞았을지도 모를 일이다.

동성애자의 음악을 듣는 것만으로도 위험하다면, 그들이 만든 물건을 쓰는 건 어떨까? 예컨대 명품 브랜드 같은 것 말이다. 이브 생로랑, 캘빈 클라인, 지안니 베르사체, 조르조 아르마니, 발렌티노 가라바니는 모두 잘 알려진 동성애자다. 현재 디오르와 루이비통을 이끌고 있는 마크 제이콥스도 동성애자고, 돌체앤가바나는 아예 동성 커플의 이름(도메니코 돌체, 스테파노 가바나)을 따서 만든 브랜드다.

예술 영역 전반을 헤아리면 그 수는 셀 수 없을 정도다. 2012년 7월에 내한공연을 한 아메리칸 발레시어터의 수석무용수 가운데도 들어 있었다. 가가 공연 반대자들은 이들 손에서 탄생한 물건과 작품을 쓰지도, 입지도, 감상하지도 말아야 한다고 말하려는 게 아니다. 동성애자들을 비난하고 조롱하기 전에, 그들의 감수성과 창의력이 세상을 얼마나 아름답게 만들어왔는지도 생각해보라는 것이다.

가가의 내한공연에는 5만 명 가까운 사람이 참석했다고 한다. 앞서 말한 대로 나는 가가 공연 반대자들의 선의를 의심하지 않는다. 일부 교인들이 잠실경기장을 메운 인파를 보며 느꼈을 안타까움은 팬들을 진심으로 걱정하는 마음에서였을 것이다.

가가 공연 반대자들은 가가가 자살을 조장한다고 했다.

하지만 아는가? 레이디 가가가 아니어도 3년마다 잠실경기장 좌석을 모두 채울 만큼 많은 사람이 스스로 죽어간다는 사실을 말이다. 특히 청소년 자살 사망자가 가장 많이 늘어난 시기는 2008년 이후다. 이는 레이디 가가가 첫 내한공연을 갖기도 전의 일이니 그녀 탓을 할 수도 없다. 이명박 정부가 탄생한 이후 죽음을 택하는 청소년들이 늘었다는 사실이 무엇을 말해주는가.

이명박 대통령이 사탄이어서 그렇다고 생각하지는 않는다. 정권과 지지층의 이해관계를 위해 비인간적 경쟁교육과 사교육을 부추겼고, 그로 인해 청소년들이 불행해졌을 뿐이다. 그런데도 정부는 엉뚱하게 게임과 만화 탓을 했고, 개신교는 정말 심각한 문제를 앞에 두고도 엉뚱하게 외국 가수 타령을 했다.

교회는 스스로 사회적 성공과 출세의 수단으로 전락했을 뿐 아니라, 이명박 정부를 탄생시키는 산파 역할도 했다. 대선 당시 어떤 목사는 성도들 앞에서 "이명박 후보를 찍지 않으면 생명책(하늘나라에서 기록되는 의인들의 명부)에서 지워버리겠다"고도 했다(자신이 신이라는 말인데, '반성경적' 이라는 말은 이럴 때 써야 한다). 한국 교회는 이 사회를 불행하게 만든 당사자로서 레이디 가가보다 더 큰 비판을 받아 마땅하다.

물론 레이디 가가의 음악에 비판의 여지도 있을 것이다. 하지만 국민들의 삶을 위협하는 현실의 문제를 앞에 둔 채 엉뚱한 데 거품을 무는 교회와 정부를 볼 때마다 한숨을 쉬며 움베르토 에코의 조롱을 떠올린다.

"핵폭발이 일어날 때 근처에 있으면 위험하다. 왜냐고? 버섯구름이 솟아오를 때, '세상에……' 하며 씻지도 않은 손가락을 입에 댈 수 있기 때문이다."

5장

망가진 민주주의

반대는 가장 고귀한 형태의 애국이다.

하워드 진
Howard Zinn

권력 비판을 차단하는 그들만의 리그

어린 시절 나는 옛날이야기 듣기를 좋아했다. 하지만 '옛날 옛적에' 로 시작하는 이야기를 듣다 보면 항상 궁금한 게 있었다. 왜 기괴하고 어리석고 사악한 일들은 항상 옛날에만 일어난 걸까.

호랑이가 담배를 피운 것도 과거고(끊었기에 망정이지 요즘 같으면 길에서 피우다 벌금을 물 뻔했다), 춘향에게 수청을 강요하던 변 사또의 악행 역시 갓 쓰고 짚신 신던 때의 일이며, 이발사의 입을 틀어막아 병들게 한 〈임금님 귀는 당나귀 귀〉 이야기도 왕권시대의 유물 아닌가.

나는 어처구니없는 옛이야기의 주인공들을 비웃으며 현실과 현재에 대한 환상을 키워갔다. 그러나 자라며 깨닫게 된 것은, 현재의 아둔함과 어리석음은 옛날이야기에 비할 바가 아니라는 사실이다.

'장자연 사건(배우 장자연이 기획사로부터 술접대와 성상납 등을 강요받고 폭행에 시달렸다는 자필 편지를 남기고 자살한 사건)' 에서 보듯, 현실에서는 권력자들이 여인을 능욕해 죽음으로 몰고 가도 처벌받지 않는다.

더 이상 왕권국가가 아닌데도 정치지도자에 대한 의혹 제기는 당나귀 귀 시대 못지않게 위험하다. 과거에는 갈대라도 나서서 진실을 외쳐주었으나, 오늘날의 갈대에 해당할 언론은 진실은커녕 왕의 귀를 감추고 미화하기 바쁘다.

제멋대로 정한 민주주의

하지만 이 모든 문제를 '현실'이나 '현재'의 문제로 일반화하지 말자. 이런 일은 '민주국가'라는 표현을 장식으로나 사용하는 전제국가에서만 일어나는 일이다. 21세기 한국에서 국민이 누리는 표현의 자유 수준은 '민주주의'라는 말이 민망할 정도다. 그래서 보수 정치세력이 '자유민주주의'라는 말을 대신 쓰고 싶어 하는지도 모르겠다. '제멋대로 정한 민주주의'라는 뜻에서 말이다.

내기를 해도 좋다. '민주주의 국가'라 불리는 곳 가운데 "정당이나 입후보 예정자에 대한 지지·반대를 하거나 권유"한다는 이유로 처벌하고, "선거에 영향을 끼칠 수 있는" 신문기사를 펴 나른다고 처벌하는 나라가 있는지 말이다. "특정 정당과 후보자를 연상시키는" 모양과 색의 옷차림만으로도 범법자가 될 수 있다는 사실은 아예 논외로 하자. 한국에서 검은색을 상징으로 쓰는 정당이 없는 건 감사할 일이다. 안 그러면 검은 옷을 즐겨 입는 국민들이 투표일에 옷을 고르는 데 애를 먹을 뿐 아니라 선거 때마다 삭발을 해야 하는 수고를 면치 못할 테니 말이다. 물론 이 경우에도 "특정 유권자를 연상시키는 방식으로" 두피를 드러내서는 안 되겠지만.

선거관리위원회의 규정이 얼마나 모호하고 복잡한지 선관위 자신들조차 매번 다른 해명을 한다. 이러니 유권자의 안전한 선택은 두 가지뿐이다. 투표를 안 하거나 후보에 대한 아무런 판단 없이 연필을 굴려 후보를 고르는 것이다.

낙심할 필요 없다. 선관위가 말하고자 하는 바는 쉽게 요약할 수 있다. "투표는 하되, 투표 결과에는 영향을 끼치지 마라."

권력에 따라 달라지는 법 적용

정말 기가 막힌 건 공직선거법의 '허위사실공표죄' 조항이다. 표현의 자유를 억압하는 것은 말할 것도 없고, 아무런 체계나 논리도 찾을 수 없다. 2011년 말 대법원은 정봉주 전 의원에게 1년 징역형을 확정했다. 먼저 허위사실공표에 대한 대법원 판례를 보자.

> 민주주의 정치제도하에서 언론의 자유는 가장 기초적인 기본권인바 그것은 선거 과정에서도 충분히 보장되어야 하고, 공직선거에 있어서 후보자를 검증하는 것은 필요하고도 중요한 일이므로 후보자의 공직 적격성을 의심케 하는 사정이 있는 경우 이에 대한 문제 제기가 쉽게 봉쇄되어서는 안 된다. 따라서 후보자에 관한 의혹 제기가 진실인 것으로 믿을 만한 상당한 이유가 있는 근거에 기초하여 이루어진 경우에는 비록 사후에 그 의혹이 진실이 아닌 것으로 밝혀지더라도 표현

의 자유 보장을 위하여 이를 벌할 수 없다.

_선고 2007도2879 판결, 2007. 7. 13.

타당하고 상식적인 판결이다. 대한민국을 무늬나마 민주국가로 만들어주는 판결이 아닐 수 없다. 이제 정봉주를 감옥에 가둔 법 조항을 보자.

당선되지 못하게 할 목적으로 연설·방송·신문·통신·잡지·벽보·선전문서 기타의 방법으로 후보자에게 불리하도록 후보자, 그의 배우자 또는 직계존·비속이나 형제자매에 관하여 허위의 사실을 공표하거나 공표하게 한 자와 허위의 사실을 게재한 선전문서를 배포할 목적으로 소지한 자는 7년 이하의 징역 또는 500만 원 이상 3000만 원 이하의 벌금에 처한다.

_공직선거법 제250조 허위사실공표죄 제2항

이제 이해가 될 것이다. 대법원의 정봉주 전 의원 확정판결로 한국 사회가 둘로 쪼개진 까닭이 말이다. 나는 상반되는 판례와 법령을 화해시키려고 노력하다가 머리가 둘로 쪼개지는 줄 알았다. 한쪽에서는 사실로 믿을 근거가 있다면 허위로 밝혀져도 처벌할 수 없다고 말하는 반면, 다른 쪽에서는 문서를 소지하기만 해도 처벌한다고 말하고 있기 때문이다.

실제로 같은 법을 근거로 하늘과 땅만큼 확연히 다른 판결이 내려지기도 했다. 예컨대 박근혜 의원은 17대 대선 후보 시절 이명박 후

보와 'BBK' 에 대해 같은 의혹을 제기해 검찰에 고발되었으나 무혐의 판결을 받았다. 정봉주가 유죄판결을 받은 뒤 8개월 만의 일이다. 검찰은 박 의원의 발언이 "언론보도를 인용한 것으로 그 내용이나 구체적인 표현에 비방의 목적이나 명예훼손의 의도가 없는 것으로 판단했다"는 것이다.

나는 이명박 대통령이 BBK의 실소유주인지 알지 못한다. 뒤에서 밝히겠지만 내 나름의 판단은 하고 있다. 만일 소유관계가 분명히 드러났다고 치자. 이 경우 정봉주 전 의원은 무사했을까? 그렇게 믿는다면 당신은 순진한 사람이다. 이런 경우를 위해 한국 법은 명예훼손죄를 준비해놓고 있다.

한국에서는 공표 내용이 사실이라 하더라도 "비방에 초점을 두는 경우" 명예훼손이 성립한다. "발언 내용이 진실이라고 믿을 만한 상당한 이유가 있는 경우"에도 그렇다. 이제 독자들은 머리가 넷으로 쪼개지는 경험을 할 것이다. 이게 표현의 자유를 인정한다는 나라의 법률이다. 결국 공직선거법은 이렇게 요약할 수 있다.

"대한민국에는 표현의 자유가 있다. 유력한 권력자를 건드릴 경우는 빼고."

국민을 명예훼손으로 고소하는 나라

이제 다른 나라 사례를 보자. 일단 멀쩡한 나라치고 '허위사실공표' 를 구실로 국민을 형사처분하는 나라는 없다는 점부터 밝혀두자.

허위사실로 손해를 입으면 대부분 민사소송으로 문제를 해결한다.

한국의 공직선거법과 명예훼손법은 의혹을 제기하는 사람에게 사실입증 책임을 지운다. 문제는 의혹이 언제나 일부의 사실에서 출발한다는 점이다. 하지만 정봉주 사례가 보여주듯, 한국에서는 100퍼센트 확실한 근거가 없는 한 어떤 의혹 제기도 '허위사실공표'의 위험을 무릅쓰게 된다. 이는 모순일 수밖에 없는데, 100퍼센트 확실한 것은 '의혹'이 아니라 '사실'이기 때문이다. 사실을 사실로 입증한다는 건 동어반복이니, 결국 의혹 자체를 제기하지 말라는 이야기가 된다.

다른 나라는 어떨까? 한국의 '허위사실공표' 조항과 비교할 대상이 없으므로 이와 비슷한 명예훼손 사례를 들어보도록 하자. 미국은 1960년대 '뉴욕타임스 대 설리번(New York Times v. Sullivan)' 판결로 표현의 자유와 명예훼손의 기준을 확립한다. 명예훼손이 성립하려면 공표 내용이 허위여야 하는데, 이때 허위의 입증 책임은 소를 제기한 원고에게 있다. 한국과 정반대로 의혹을 받는 사람이 의혹 내용이 사실이 아님을 밝혀야 하는 것이다.

이유는 명확하다. 한국처럼 의혹 제기자가 사실입증을 해야 한다면, 비판 자체가 위축되는 문제가 생긴다. 게다가 정치인 등 공인에 대해서는 명예훼손 성립조건을 훨씬 더 까다롭게 만들어놓았다. 이들은 보통 사람들보다 훨씬 큰 영향력을 가지고 있기에, 쉽게 비판하고 문제 제기를 할 수 있어야 공공의 이익을 지킬 수 있기 때문이다.

미국에서 공인이 명예훼손을 주장하려면, 상대가 '실제 악의(actual malice)'를 가지고 발언했다는 사실을 입증해야 한다. 하지만 사람의 마음에서 '악의'를 읽어낼 수는 없는 일이다. 따라서 '악의'의 입증 방식은 발언 당시 그 내용이 허위임을 알고 있었느냐로 좁혀진다. 다시 말해, 허위임을 알고도 발언했느냐는 것이다. 이 사실을 공인이 입증해야 하므로 정치인이 뉴스매체나 국민을 명예훼손으로 고소해서 승리하기란 불가능에 가깝다.

정봉주가 의혹을 제기했던 사람은 대통령 후보였다. 가혹하리만큼 엄밀한 검증과 비판이 필요한 '공인 중의 공인'에게 의혹을 제기했다는 이유로 옥살이를 하게 된 것이다. 미국에서라면, 이명박 대통령이 정봉주 전 의원에게 민사소송이라도 걸 경우(미 연방정부는 명예훼손으로 형사 고소하는 것을 인정하지 않는다) 정봉주 전 의원의 말이 허위임을 입증해야 할 뿐 아니라 의혹 제기 당시 그 내용이 허위임을 알고 있었다는 사실도 입증해야 한다.

하긴 한국이 어떤 나라인가. 정운천 전 장관이 보도프로그램 〈피디수첩〉을 명예훼손으로 고소하고, 국가정보원이 개인 박원순을 '국가 명예훼손'으로 고소하는 기막힌 나라가 아닌가. 한국수자원공사는 4대강 사업에 문제 제기를 해온 수자원 전문가 박창근 교수를 '허위사실 적시에 의한 명예훼손 혐의'로 고소했다. 정부가 국민을 대상으로 명예훼손을 주장하는 것은 해외토픽감이다.

정부가 기본적 상식이라도 가지고 있다면 애초부터 소송거리가 안 된다는 사실을 알았을 것이다. 그저 상대를 괴롭혀 '본때'를 보여줌으로써 비판 자체를 차단하려는 '겁주기 효과(chilling effect)'를 노렸을 뿐이다. 여기서 또 하나의 중요한 문제가 드러난다. 규제와 소송의 정당성 못지않게 그것이 사회에 어떤 영향을 미치느냐다. 만일

■

정치인은 국민의 삶에 막대한 영향을 미치기 때문에
이들에게는 엄정한 비판과 문제 제기가 필요하다.
하지만 한국의 공직선거법과 명예훼손법은 공인에 대한 의혹 제기 자체를 가로막는다.

© 유성호

규제를 통해 일부 이익을 얻는다 해도, 부작용이 이익을 상쇄할 만큼 크다면 규제를 해서는 안 된다.

미국은 미성년자를 출연시키지 않는 한 성인물을 규제하지 않는다. 포르노가 좋다는 사회적 합의가 있어서도 아니고, 미국이 한국보다 성적으로 분방해서도 아니다(미국 정치인들은 혼외관계만 드러나도 정계를 떠나는 경우가 대부분이다. 반면에 한국에서는 내연관계는커녕 성추행을 해도 정치생명에 별 지장이 없다. 성추행은 '분방함'의 문제도 아닌 그냥 범죄행위인데도 말이다).

미국 정부는 1996년 '통신품위법(CDA)'으로 인터넷 성인물을 규제하려고 시도했으나 실패하고 만다. 어떤 것이 무가치한 음란물이고, 어떤 것이 헌법의 보호를 받는 표현의 영역인지 모호하다는 법원 판결 때문이다. 규제가 인터넷을 좀 더 '천진한' 세상으로 만들어 줄지는 모르나, 그 과정에서 표현의 자유가 위축되는 부작용을 피할 수 없게 된다. 성인물이 좋아서가 아니라 표현의 자유가 위협받는 것이 더 심각한 문제이기 때문에 규제하지 않는 것이다.

형평성 문제는 또 어떻게 할 것인가. 2011년 서울시장 보궐선거에서 허위사실을 공표한 나경원과 홍준표 전 의원은 왜 내버려두느냐는 것이다. 게다가 박원순 후보가 '당선되지 못하게 할 목적으로' 한 일이 분명한데 말이다.

홍준표 전 한나라당(현 새누리당) 대표는 선거 전날인 2011년 10월 25일 기자간담회를 열어, 당시 서울시장 후보였던 박원순에 대해 심각한 허위사실을 유포한 바 있다. 그는 박 후보가 서울시장에 당선될 경우 "서울 행정이 마비되고, 광화문 광장은 반미집회 아지트가 될 것"이며, "휴전선에서 30킬로미터 떨어진 서울 안보가 무너지는 계기가 된다"고 주장했다. 나경원 후보는 이틀 앞선 23일에 박 후보가 당선되면 "서울시의 모든 행사에서 태극기와 애국가가 사라지게 될 것"이라고 말했다.

박원순 후보가 "사탄·마귀"라고 주장한 김홍도 목사의 발언은 어떤가. 박 시장이 '사탄'이나 '마귀'로 보이지는 않는다. 그토록 십자가가 많은 서울에 살고 있는 데다 마늘 들어간 음식도 잘 먹지 않는가.

명함, 비디오, 당나귀 귀

자, 이제 고백의 시간이 왔다. 나는 이명박 대통령이 BBK의 실소유주라고 믿는다. 물론 '그렇게 믿을 만한 상당한 이유'가 있다. 우선 이장춘 전 외무부(지금의 외교통상부) 대사가 이명박 후보에게 받았다는 명함이 있다. 거기에는 선명한 글씨로 'BBK 투자자문회사 대표 이명박'이라고 쓰여 있다. 또 다른 근거는 스스로 회사를 설립했다고 말하는 녹화 영상이다.

"저는 요즘, 다시 한국에 돌아와서 인터넷 금융회사를 창립을 했습니다. 해서, 금년 1월에 비…… 비비케이라는 투자자문회사를 설립을 하고……"

나경원 전 의원에게 또다시 미안하나 비디오에는 명백히 주어가 등장한다(차라리 '비비케이'와 '비…… 비비케이'는 다른 회사라고 주장하는 편이 나왔을 것 같다). 본인이 설립했다고 말하는 영상이 있고, '대표'라고 찍힌 명함이 있는데 그걸 믿지 말라고 한다면 우리는 현실과 동떨어져 결국 아무것도 믿을 수 없게 된다.

예컨대 이명박이 정말 한국의 대통령인지조차 희미해지는 것이다. 나는 대통령 명함을 본 일도, 그가 "대한민국이라는 나라의 대통령에 당선이 되고……"로 시작하는 연설을 들어본 적도 없다. 게다가 설사 그런 게 존재한다 해도 그가 대통령이라는 사실이 입증되지는 않는다는 게 대법원의 판단 아닌가.

어린 시절, 〈임금님 귀는 당나귀 귀〉를 읽으면서 결심한 바가 있다. 어른이 되면 용기 있게 진실을 말하겠다는 것이다. 이제 그때의 결의를 실천에 옮기려고 한다.

"나는 이명박 대통령이 비비케이의 실소유주라고 믿는다."

말이 나온 김에 한마디 더 하자.

"대통령 귀는 꽉 막힌 귀다!"

시민의 권리를 억압하는 검찰과 언론

이 글을 쓰고 있는 내 마음은 참담하다. 어떻게 멀쩡한 나라가 하루아침에 이토록 망가질 수 있을까? 나는 한국이 비교적 꾸준하고 건강하게 민주주의를 발전시켜왔다고 믿고 있었다. 그러나 이런 기대는 허망하게 무너졌다. 그 절망의 한가운데 한국의 검찰과 언론이 서 있다.

나는 한국의 검찰과 언론이 특유의 보수성을 드러내는 데 반대하지 않는다. 이들이 기득권 보호에 열을 올리는 모습을 보여도 별로 놀라지 않는다. 이 기관의 과거 행적으로 판단하건대, '기득권층 모시기'는 존재 이유에 가까우니 말이다. 문제는 이들이 사실을 왜곡하거나 조작하면서까지 이런 짓을 한다는 점이다.

2008년 8월 서울중앙지검(팀장 구본진)은 누리꾼 24명을 기소했다. 미국산 쇠고기 수입 재개가 불러온 촛불시위가 뜨거울 때였다. 당시 많은 시민들이 보수언론의 시위 보도 방식에 큰 문제가 있다고 판단했다. 그리고 이에 항의하기 위해 '조선·중앙·동아 광고 싣지 말기'라는 광고주 불매운동을 시작한다. 특정 신문에 광고를 낸 기업들의 이름과 전화번호를 인터넷에 올려 항의전화를 권유하는 방식이었다. 불매운동 참여자 가운데 24명이 검찰에 기소되었고, 24명 전원이 유죄판결을 받았다.

당시 나는 한국에 있었다. 그리고 두 가지를 깨달았다. 하나는 한국 시민사회가 건강한 개혁의지를 잃지 않고 있다는 점이고, 다른 하나는 내가 살고 있는 미국이 '난장판'이라는 점이었다. 첫 번째 가르침을 준 것은 시민들이었고, 두 번째 가르침을 준 것은 검찰과 언론이었다.

기업을 위해 국민의 입을 막는 세상

검찰은 처음에 불매운동 관련자들을 기소하지 못했다. 법적 근거가 없었기 때문이다. 그러자 엉뚱하게 '미국 판례'를 뒤지기 시작한다. 대단한 검찰이다. 미국산 쇠고기 수입개방 때문에 불매운동도 발생했으니, 처벌 근거도 '미국산'을 수입하기로 한 걸까. 하지만 어쩌나, 미국에는 그런 처벌규정이 없으니 말이다.

나는 미국 시민단체에서 수시로 이메일을 받는다. 그중 상당수는 언론보도에 항의해 광고주 불매운동을 벌인다는 내용이다. 메일에 기업명, 경영진 이름, 이메일 주소, 전화번호가 들어 있는 것은 기본이다. 정치인에게 전화를 걸어 시민의 의지를 보여주자는 이메일도 흔하다. 한번은 '공영방송 죽이기'를 막아달라는 언론개혁 시민단체 '프리프레스(freepress.net)'의 연락을 받고 거기서 알려준 번호로 한 상원의원에게 항의전화를 하기도 했다.

미국인들에게는 기업인이나 정치인에게 전화를 하고, 이메일이나 웹사이트를 통해 의사를 표하는 것이 흔한 일상이다. 뒤에서 살펴보겠지만, 교사나 경찰도 이런 일을 한다. 이런 '불법행위'를 묵과하는 미국은 문제가 많은 나라일까.

한국 정부와 보수언론은 '미국식'을 매우 좋아한다. "미국도 한다"는 말은 자신의 행위를 정당화하는 변명거리가 되었다. 의료민영화도 '미국식'으로, 신문·방송 겸영도 '미국식'으로, 기업규제 완화도 '미국식'으로. 물론 이들이 말하는 '미국'은 입맛에 맞게 각색된 가상의 나라인 경우가 대부분이다.

그러다가 문제가 생기면 처벌은 꼭 '한국식'을 선호한다. 기업의 분식회계나 비자금, 탈세 등 중대한 경제사범도 '경제발전 치적'을 고려해 한국식으로 용서하고, 정치인들의 뇌물수수나 성추행 혐의가 드러나도 '관례'를 생각해 한국식으로 솜방망이 처벌을 하는 것이다.

검찰은 '한국식'으로도 해결이 안 되자, 근거도 부족한 '미국식'을 끌어들여 자신의 발등을 찍었다. 미국에서 언론의 광고주 불매운동이 '불법'이 될 수 없는 이유는 아주 간단하다. '수정헌법 제1조(First Amendment)' 때문이다. 이는 미국에서 '표현의 자유'를 규정하는 가장 중요한 헌법 조항으로, "의회는 표현의 자유를 금지하거나 제약하는 어떤 법도 제정할 수 없다"고 명시하고 있다.

미국의 공화당 하원의원 론 폴(Ron Paul)은 자신의 홈페이지를 아예 언론사 광고주 불매운동 사이트로 운영하고 있다. 그는 부지런히 광고주의 전화번호·이메일·팩스번호를 업데이트하면서 방문자에게 불매운동을 권한다. 다른 단체들과 '조직적으로' 연합해 불매운동의 성과를 높이는 것은 물론이다.

미국이 문제가 많은 나라임에는 틀림없으나 언론사와 기업의 이익을 지키기 위해 국민의 입까지 막을 만큼 한심한 나라는 아니다. 검찰은 한국 광고주 불매운동의 처벌 근거로 미국의 '2차 보이콧 금지'를 말하며, 1947년에 통과된 '태프트-하틀리 법(Taft-Hartley Act)'을 인용했다. 정말 몰라서 그랬던 걸까, 아니면 알면서도 거짓말을 했던 걸까?

태프트-하틀리 법이 규정한 '2차 보이콧' 금지는 파업 중인 노동자들이 우월적 지위를 이용해 3자 업체에게 파업 참여를 강요해서는 안 된다는 것이다. 이 법은 2차 세계대전 후 미국에서 파업이 들불처럼 번져가자, 경제에 미치는 파급력을 조금이나마 줄여보려고 만든 법이다. 당시 공화당이 노동자 권익보호를 위해 마련된 '와그너 법'(1935)을 문제 삼으면서, 이 법이 노동자에게 파업권과 협상권 등 무소불위의 권력을 주었기에 일정한 규제 장치가 필요하다고 주장했다. 태프트-하틀리 법은 많은 이들이 반대했고 트루먼 대통령도 거부권을 행사했으나, 결국 다수당이었던 공화당 주도로 통과되었다. 이것은 파업 중인 노동자가 사업장 밖에서 영향력을 미치지 못하도록 한 노동쟁의법으로, 광고주 불매운동 같은 소비자 운동과는 아무 관련이 없다.

검찰과 《조선일보》의 주장과 달리, 미국에서 광고주 불매운동은 불법도 아니고 2차 보이콧도 아니다. 태프트-하틀리 법이 말하는 2차 보이콧이 성립하려면 행위자가 속한 사업장, 즉 1차 보이콧 대상이 있어야 한다. 언론사의 광고주를 2차 보이콧 대상으로 삼을 수 있는 주체는 파업 중인 언론사 직원이지 독자나 시청자가 아니다.

광고주 불매운동이 2차 보이콧이 될 수 없는 또 하나의 이유는 언론사와 광고주 불매운동의 '1차적 관련성' 때문이다. 언론사와 광고주 불매운동으로 가장 큰 타격을 받는 곳이 어디일까? 언론사다. 언론사 수입의 대부분이 광고에서 오기 때문에, 언론사를 보이콧할 수 있는 가장 효과적이고 사실상 유일한 방법은 광고를 차단하는 것이다.

이 때문에 미국에서는 광고주 불매운동을 합법적인 '표현의 자유' 영역에서 보호하고 있다. 이를 규제하는 것은 국민 기본권을 침해하는 위헌 행위다. 법조인 패트릭 패히는 다음과 같이 지적했다.

> 비록 소비자에 의한 광고주 불매운동이 텔레비전 방송업자들의 권리를 침해하는 파괴적이고 불법적인 시도로 보일지 모르나, 최근의 판례법은 그런 불매운동을 합법적 권리로 보호하고 있다.
>
> _ 패트릭 패히, 《펜실베이니아대학교 로 리뷰》, 1991년 12월호

물론 광고주나 언론사는 억울할 것이다. 언론사도 표현의 자유가

있고, 광고주도 자기 돈(정확히는 소비자에게 전가할 광고비)을 원하는 방식대로 쓸 자유가 있으니 말이다. 그러나 광고주 불매운동 금지는 표현의 자유를 오직 언론사와 기업에게만 허락하는 결과를 낳는다.

검찰과 《조선일보》는 한국의 상황과는 전혀 관계없는 미국의 파업운동 판례를 인용하거나, "한 지역 방송의 광고주 철회운동 요청을 연방대법원이 기각했다"는 식의 상식 이하의 주장을 폈다. 미국에서 광고주 불매운동을 인정한 판례는 1984년에 나왔다. 신문사 보도에 문제가 있다고 판단한 환경단체가 조직적인 광고주 불매운동을 시작한 것이 발단이었다.

신문사는 "불매운동은 민권운동의 영역에서만 인정되며, 언론보도를 바꾸려는 시도는 헌법에 의해 보호받을 수 없다"고 주장했으나, 법원은 신문사의 항변을 받아들이지 않았다. "사상의 공개시장에서는 (언론사와 시민이) 동등한 권리를 누려야 한다"는 것이다.

피켓을 들든, 전화를 하든, 인터넷에 광고주 이름이나 전화번호를 올리든, 광고주 불매운동은 모두 합법이고 헌법의 보호를 받는다. 검찰과 《조선일보》는 근거도 불명확한 사례를 20세기 중반까지 거슬러 올라가 파헤쳤지만, 한국과 같은 사례는 이후에도 여럿 있었다. 싱클레어 방송사와 보수언론인 마이클 새비지에 대한 광고주 불매운동이 대표적이다.

2004년 미국 대선 당시, 싱클레어 방송사는 시사 프로그램 〈도둑맞은 명예(Stolen Honor)〉를 방송할 예정이었다. 녹화 내용 일부가 공개되자 시민사회가 술렁이기 시작했다. 이 방송이 조지 부시를 돕기 위해 민주당 존 케리 후보를 부당하게 매도한다는 것이었다. 누리꾼들은 프로그램을 후원하는 광고주의 이름, 이메일 주소, 전화번호 등을 인터넷에 올리면서 조직적인 불매운동을 시작했다.

내막을 잘 아는 방송인들이 광고주의 협찬 금액을 공개하고, 법조인도 가세해 광고주에게 관련 법규를 알려주며 협찬 철회를 유도했다. 사람들은 불매운동에 그치지 않고, 싱클레어 방송사에 대한 투자 거부 운동으로까지 확대했다. 그 결과, 버거킹 같은 거대 광고주들이 떨어져 나가고 투자자까지 줄어드는 등 막대한 피해를 봤다. 싱클레어는 방송을 취소할 수밖에 없었다.

비슷한 사례로 2007년의 '새비지 네이션(Savage Nation)' 사건도 있다. 라디오 진행자인 마이클 새비지는 방송 도중 "무슬림은 자신들이 혐오하는 기독교인과 유대인의 피를 원한다"고 주장하며 코란을 "분노로 가득 찬 한심한 책"이라고 평했다. 이에 미국의 이슬람 단체는 온·오프라인을 겸한 광고주 불매운동에 돌입했고, 이 방송은 10억 원이 넘는 광고를 잃었다.

새비지는 이슬람 단체를 법원에 고발했다. 그러나 아무리 보수 논객이라도 광고주 불매운동을 불법이라고 우길 수는 없었다. 그래서 생각해낸 핑계가, 방송 내용을 허락 없이 인터넷과 시위용 전단에 베껴 썼다는 '저작권 위반'과, 자기에게 물리적 협박을 했다는 '폭력행위' 뿐이었다.

미 법원은 어떤 주장도 받아들이지 않았다. 담당 판사였던 수전 일스턴은 시청자들이 비판을 위해 방송 내용을 인용하는 것은 저작권에 위배되지 않으며, 새비지가 주장한 '폭력행위'도 증거가 없다는 판결을 내렸다. 결국 새비지는 소송을 포기하고 만다.

《조선일보》는 광고주 불매운동의 '치밀성'과 '조직화'를 비난했다. 합법적인 의사표현을 효과적으로 하는 게 왜 문제란 말인가? 또한 검찰은 '경제활동 침해'를 문제 삼았다. 본래 불매운동은 경제적 손실을 주어 소비자 권익과 발언권을 지키려는 것이다. 불매운동에 따른 아무런 경제적 피해가 없다면 어떤 언론사와 기업이 움직이겠는가?

그러나 한국 검찰과 법원은 광고주 명단을 공개하고 항의전화를 권유했다는 이유만으로 시민들을 기소하고 처벌했다. 검찰은 "중국집에 전화가 천 통씩 오면 영업을 할 수 있겠느냐"고 항변했다. 그런 논리라면 바쁜 시간에 영업에 도움이 안 되는 전화를 거는 행위는 모두 금지해야 한다.

한국 검찰이 그토록 좋아하는 미국에서는 교사와 경찰도 전화시위를 자주 한다. 수백 명이 한꺼번에 전화를 하고 결근하는 것이다. 1994년에는 로스앤젤레스 경찰 인력 절반이 결근 전화를 하고 출근을 거부했다. 이로 인해 경찰은 대체인력을 쓰기 위해 100만 달러가 넘는 돈을 써야만 했다.

2004년 뉴욕의 한 학군에서는 교사 수백 명이 한꺼번에 "아파서 출근 못하겠다"고 전화하는 바람에 해당 학군 10곳의 학교 가운데 9곳이 휴교를 했다. 2006년에는 디트로이트의 교사들 1500여 명이 전화로 병가를 냈다. 한국의 정부와 검찰 모두 미국식을 좋아하니, 한국의 경찰과 교사는 미국의 모범사례를 참고해도 좋겠다.

미국의 인구는 한국의 여섯 배다. 미국 기업들이 한국보다 전화를 적게 받을 것 같은가? 그 때문에 미국에서 중국집 보기가 그렇게 어려운지도 모르겠지만 말이다. 검찰과 보수언론은 무고한 시민에게 훈계하기 전에 자신의 부끄러운 모습부터 살필 일이다. 그렇게 살려고 법조인과 기자를 꿈꾼 것은 아니지 않은가.

공영방송은 정부의 앵무새가 아니다

대화가 가능하려면 기본적인 조건이 필요하다. 바로 상식과 예의다. 최소한의 상식과 예의를 갖추지 못한 상대와는 대화 자체가 불가능하다.

만일 '대화 불능' 상대가 개인이면 간단히 무시하면 된다. 그러나 대상이 한 나라의 정부라면 이야기가 다르다. 정부의 판단과 결정은 국민들의 현재와 미래의 삶 구석구석에 영향을 미치기 때문이다. 게다가 이들은 국민의 의사를 따르겠다는 약속을 하고 일시적으로 권력을 위임받은 집단 아닌가.

정부가 최소한의 상식과 예의를 갖추지 못했을 때, 국민은 '대화' 대신 '타도'를 외치게 된다. 한국의 독재자 모두가 이 외침 속에서 막을 내렸다. 부끄럽게도 이명박 정부는 투표로 선출된 권력 가운데 가장 먼저 '타도' 구호를 들은 정부가 되었다. 정부가 국민에게 합리적 대화 상대라는 믿음을 주지 못한 탓이다.

이때 현명한 정부라면 국민과 소통하기 위해 애썼는지 돌아볼 것이다. 어리석은 정부라면 수단과 방법을 가리지 않고 국민들 입을 틀어막기에 바쁠 것이다. 이명박 정부는 입으로는 '소통'을 말했으나 행동은 철권정치와 다름없었다. 정책에 반대 의사표시를 하는 시민들에게 화학약품 섞은 물대포를 쏘고, 생각할 수 있는 모든 고소·고발로 국민들을 끈질기게 괴롭혔다.

국민들을 침묵시키는 것만으로는 부족했던 모양이다. 정부는 공영방송을 권력의 홍보수단으로 만들기 위해 경찰, 검찰, 법원, 방송통신위원회 등 가능한 모든 조직을 동원했다. 이런 시도를 노골적으로 드러낸 첫 사례가 2008년 KBS 정연주 사장의 강제해임이었다.

KBS 사장 강제해임

이명박 대통령은 재임 기간 내내 '법과 질서'를 말했으며, 법을 무시한 채 떼를 써서 원하는 것을 얻어내는 '떼법'을 용납하지 않겠다고 누누이 강조했다. 대통령이 그렇게 좋아하는 '법'에 따르면, 공영방송은 정부 산하기관이 아니다. 공영방송은 정치권력과 자본권력이 손댈 수 없는 독립기관이다.

그래서 '국영방송' 아닌 '공영방송'이라 부르고, 국민들이 없는 돈을 털어 직접 수신료를 내는 것이다. 정치집단의 협박과 광고주의 회유에 굴복하지 말고 그들의 일거일동을 잘 감시하라는 뜻이다. 권력의 일거일동을 지켜보는 '감시견(watchdog)' 역할이 언론의 가장 큰 사명이기 때문이다. 그러나 2008년 7월 대통령과 머리를 맞대고 일하던 박재완 청와대 국정기획수석 입에서 이런 말이 나왔다.

"한국방송 사장은 정부 산하기관장으로서 새 정부의 국정철학과 기조를 적극적으로 구현하려는 의지가 있어야 한다."

이후 정권의 비호를 받은 KBS 보수이사들에 의해 정연주 사장의 해임제청이 이루어졌다. 이에 대해 당시 한나라당 차명진 대변인은 다음과 같이 논평했다.

"사필귀정이다. 정연주라는 좋지 않은 혹을 떼어낸 KBS의 창창한 앞날이 기대된다. BBC와 같은 진짜 국민의 방송으로 재탄생할 것이다. 온 국민이 성원할 것을 약속한다. 좌파들이 정연주 사장을 극렬 비호하는 모습을 보니 KBS 이사회가 정말 잘했다는 생각이 더 든다. 국민의 방송을 좌파 코드 방송으로 악용하는 자들이 KBS 카메라를 조종하도록 놔둬서는 안 된다."

공영방송이 "좌파 (정권의) 코드 방송으로 악용"되어서는 안 된다는 것이 한나라당의 일관된 견해였다. 정연주 사장의 사퇴를 요구하던 논리도 바로 이 '코드 임명'이었다. 그러나 이명박 대통령 집권 후 공영방송은 버젓이 "정부의 국정철학과 기조를 적극적으로 구현하는" 정권의 홍보수단이 된다. 이게 '법과 질서'를 존중하는 정부가 할 일이었을까?

이미 2000년에 법률이 개정돼 대통령의 KBS 사장 '임면권'이 '임명권'으로 바뀐 상태였다. '임명권'은 임면권과 달리 임명할 권리는 있으나 해임권은 없다. 정연주 전 사장은 이명박 대통령을 상대로 해임처분 무효 청구소송을 냈고, 결국 승소하게 된다. 2009년 11월 12일 판결에서 재판부는 "해임 처분 절차상 하자가 있고, 재량권도 남용된 것으로 보인다"고 했다. 배임 혐의도 무죄판결을 받았다. 해임 사유와 절차가 모두 잘못된 것이었음이 드러난 것이다.

하지만 아무 소용이 없었다. 재판 중 임기가 끝나 사장으로 복귀할 수 없었기 때문이다. 결국 법원의 무죄판결에도 아무것도 바뀐 것이 없고, 부당해고에 책임을 진 사람도 없다. 대통령, 여당, 검찰, 법원이 공모한 결과였다. 사실, 정부가 검찰을 동원해 정연주 사장을 몰아내려고 할 때, 법원은 이를 막을 기회가 있었다. 정연주 사장이 해임 결정을 수용할 수 없다며 집행정지 신청을 냈기 때문이다.

그러나 법원은 비겁한 선택을 했다. 서울행정법원 행정13부(정형식 부장판사)가 "회복할 수 없는 손해가 있다고 보기 어렵다"며 요청을 받아들이지 않은 것이다. 사장이 정해진 임기에 사장직을 수행할 수 없는 게 '회복할 수 없는 손해'가 아니라면 대체 무엇이 '회복할 수 없는 손해'인가?

신뢰도와 독립성의 추락

한나라당 차명진 대변인은 사장 해임으로 KBS가 "BBC와 같은 진짜 국민의 방송으로 재탄생할 것"이라고 말했다. 영국의 BBC가 괜찮은 방송이라는 이야기는 어디서 들은 모양이다. BBC가 국민의 신

■
이명박 대통령은 재임 기간 내내 '법과 질서'를 강조했지만,
집권하자마자 KBS 정연주 사장(사진 가운데)을 해임하는 불법행위를 저질렀다.
공영방송을 정권 홍보용 국영방송으로 만든 것이다.

ⓒ 유성호

뢰를 받는 "진짜 국민의 방송"이 된 비결은 무엇일까? 《조선일보》가 (정연주 때리기에 나서기 전에) 그레이 다이크 전 BBC 사장 내한과 관련하여 썼던 기사의 제목들이 잘 답해주고 있다.

"정부 · 특정 정당 대변하는 건 공영방송의 역할 아니다"

"정치인은 근본적으로 공정할 수 없어 공영방송은 공정 · 정직하게 보도해야"

"국민 지지받지 못하는 정책 추진 때 정부는 언론에 모든 책임 떠넘겨"

《조선일보》가 말한 대로 "정치인은 근본적으로 공정할 수 없기" 때문에 언론은 정치권력의 영향으로부터 자유로워야 한다. 대통령 마음에 들지 않는다고 사장을 멋대로 해고하고 원하는 사람을 심는다면 언론의 공정성은 지켜질 수 없다. "정부나 특정 정당을 대변하는 게 공영방송의 역할이 아니"라면, BBC 같은 "진짜 국민의 방송"이 "정부의 국정철학과 기조를 적극적으로 구현"할 수 없는 것도 당연하다.

영국의 BBC, 미국의 PBS, 그리고 한국의 KBS 사이의 공통점은 무엇일까? 첫 번째는 모두 '정치권으로부터의 독립'을 표방한 공영방송이라는 점이다. BBC는 영국, PBS는 미국, 그리고 KBS는 한국을 대표하는 공영방송이다. 두 번째는 각 나라의 국민들로부터 가장 높은 신뢰를 받는 언론매체라는 것이다. 물론 KBS에 대해서는 모든 진술을 과거형으로 바꿔야 하지만 말이다. KBS는 국민들로부터 가장 높은 신뢰를 '받던' 공영방송이 '었'으나, 정부 산하기관인 '국영방송'이 된 것이다.

2008년 8월, 정부는 사장만 쫓아내면 "진짜 국민의 방송"이 된다고 했다. 이후 어떤 일이 일어났는지 보자. 사장을 해임한 지 꼭 3년이 되던 2011년 8월, 한국기자협회는 회원들을 대상으로 여론조사를 실시했다. 그 결과, 신뢰도 1위를 지켜오던 KBS는 《한겨레》에 자리를 내줬다. 그것도 《한겨레》의 신뢰도 19.2%에 한참 못 미치는 11.7%였다.

KBS의 신뢰도는 사장 교체 이후 급속히 악화됐다. 매년 신뢰도는 낮아진 반면, 불신도는 크게 늘었다. 2009년 《시사IN》 여론조사에서 KBS의 불신도는 6.4%였으나, 2010년에는 9.8%로 뛰어올랐다.

KBS가 형편없이 망가졌다는 사실은 내부 여론조사에서도 드러난다. 2011년 9월 KBS 노조는 조합원들을 대상으로 설문조사를 했다. 새로운 사장이 취임한 후 뉴스와 프로그램의 신뢰도와 대외적 평가가 나아졌느냐고 묻자, 73.7%가 "매우 그렇지 않다"고 답했고, 22.1%가 "그렇지 않다"고 답했다. 무려 95.8%가 KBS의 상황이 악화됐다고 판단한 것이다.

공영방송의 핵심인 '독립성' 역시 나락으로 떨어졌다. 새 사장의 취임 후 KBS가 정치권력과 자본권력으로부터 독립을 지키고 있느냐는 질문에 85%가 "매우 그렇지 않다"고 답했다. 신뢰도와 독립성 모두 후퇴한 것이다. 공영방송이 '정부 산하기관'이 될 때 어떤 일이 벌어지는지를 알 수 있다.

영국의 BBC는 민영방송인 스카이뉴스(Sky News)나 대중 일간지의 여섯 배에 가까운 신뢰도를 자랑한다. 미국의 PBS 역시 CNN이나 폭스뉴스(Fox News) 같은 민영채널은 물론, 《뉴욕타임스》나 《워싱턴포스트》보다도 높은 신뢰를 받는다. 한나라당 대변인이 말한 "진짜 국민의 방송"은 아마 이런 방송을 말하는 것일 터이다.

정권 홍보수단으로 망가진 언론

BBC와 PBS에는 또 다른 공통점이 있다. 모두 보수 정치세력에 의해 '좌파방송'이라는 비난을 받는다는 점이다. 두 방송사는 '빨갱이(pinko) 방송'으로도 불린다. 정치권은 자신들의 이익에 반하는 보도는 모두 '불공정'하다고 판단하기 때문이다. 앞의 《조선일보》도 BBC 전 사장의 말을 빌려 보도하지 않았던가. "정치인은 근본적으로 공정할 수 없다"고 말이다.

"BBC 같은 방송을 만들기 위해 KBS 사장을 해임한다"는 말 자체가 희극적인 모순이다. 정치권이 공영방송 지도부를 좌우하는 것 자체가 이 공영성에서 가장 먼 발상이기 때문이다. 만일 이병박 정부가 진정한 공공의 방송을 만들기를 원한다면 이미 사라진(그러나 행사된) 대통령의 해임권뿐 아니라 임명권도 포기해야 한다. 여기에 바로 BBC, PBS, KBS의 가장 큰 차이가 있다.

보도의 '공정성(fairness)'은 쉽게 판단하기 어려운 복잡한 개념이다. 언론보도는 늘 상충하는 이해관계와 연관되어 있기 때문이다. 분명한 것은 이해 당사자들이 이 '공정성'을 판단하는 심판이 되어서는 안 된다는 것이다. 이 판단은 오직 국민들에게 맡겨져야 한다. 국가기관인 방송통신심의위원회나 검찰이 양대 공영방송인 KBS와

MBC의 보도와 운영에 개입하는 상황은 어떤 기준으로 보아도 정상이 아니다.

비록 부족한 점이 있기는 했으나, 과거에 공영방송은 한국의 어떤 언론매체보다 높은 신뢰를 받고 있었다. 2008년 한국언론진흥재단 조사가 보여주듯, 한국인이 가장 신뢰하던 매체 1, 2위 모두 공영방송인 KBS와 MBC였다. 민영방송인 SBS는 5위 안에도 들지 못했다. 이런 신뢰는 공영방송이 정치·자본 세력으로부터 독립을 유지하기 위해 애쓰며 힘들게 얻어낸 것이다. 하지만 조금씩 국민들의 신뢰를 받기 시작하던 공영방송은 이제 권위주의 시대의 정권 홍보수단으로 전락했다.

공영방송은 서둘러 신뢰를 되찾지 않으면 영원히 믿음을 잃게 될 것이다. 이것은 공영방송 종사자와 국민 모두에게 돌이킬 수 없는 손실이 될 것이다. 집권세력은 몇 년 후에 물러가지만, 망가진 언론의 폐해는 현재와 미래의 국민들이 고스란히 물려받아야 한다. 이처럼 단명할 수밖에 없는 정치권이 언론을 제멋대로 주무르게 내버려 두어서는 안 된다.

참고로 말하면, 한국의 정부, 정당, 국회의 국민 신뢰도는 한국의 모든 기관이나 단체 중에서 최하위를 기록하고 있다. 한국개발연구원(KDI) 국제정책대학원은 한국 사회 각 부문의 신뢰도를 조사했다. 0점에서 10점까지 점수를 매기게 한 결과, 정부는 3.35점, 정당은 3.31점, 국회는 2.95점을 받아, 언론(4.91점)이나 시민단체(5.41점)보다 훨씬 낮았다. 심지어 낯선 사람(4.0점)보다도 신뢰도가 떨어졌다.

정부는 정연주를 해임할 때 국민의 신뢰가 낮아서 공영방송 사장을 교체했다고 말했다. 그렇다면 그보다 신뢰가 더 낮은 정부는 어떤 책임을 져야 할까?

유머 감각 상실한 속좁은 정부

2011년 4월, 구글은 혁신적인 서비스를 내놓는다. 비록 '시험서비스(베타)' 라는 단서가 붙긴 했지만 뉴미디어 전문가들조차 혀를 내두를 만한 획기적인 신기술이다. 키보드 없이 문서를 작성하는 '무접촉 입력' 에, 손짓 하나로 이메일을 보내는 기능도 갖추고 있다. 이뿐만 아니라 컴퓨터 카메라 앞에서 간단한 동작을 취하는 것만으로 고급 그래픽 작업을 수행할 수 있고, 같은 방식으로 데이터를 '클라우드 서버' 에 저장할 수도 있다.

구글은 공식 사이트를 통해 이 놀라운 기술의 탄생 과정을 공개하면서, 프로그래밍 작업을 위해 '인간에 대한 근본적 이해' 가 필요했다고 말한다. 예컨대 키보드를 써서 글자를 입력하는 일은 인간의 신체구조에 맞지 않는 부자연스러운 행위라는 것이다. 이 깨달음을 기초로 구글은 동작학(kinesics) 및 기호학 전문가들과 협력해 '동작언어' 를 탄생시켰다. 애플은 '기술과 인문학·기초과학의 교차로' 를 강조해왔지만, 이 행복한 만남이 애플의 독점영역은 아니었던 것이다.

구글은 신기술의 장점을 세 가지로 설명한다. 익히기 쉽고, 작업 효율을 높이며, 신체에 부담을 주지 않는다는 것이다. 여기서 무엇을 더 바랄까. 구글은 "직접 경험해보라"며 시작 버튼을 화면에 띄워준다. 떨리는 손으로 마우스를 클릭한다. 사각 창이 위에서 아래로 천천히 모습을 드러낸다.

'로딩 중…… 0%' 느리게 숫자가 올라간다. 다른 구글 서비스에 비해 시작 속도가 느리지만, 이게 보통 기술인가. 처리할 정보량이 만만치 않아서겠지. 조바심 속에 지켜보던 숫자가 100%에 도달하고 드디어 화면이 뜨기 시작한다. 그런데……

"만우절 농담에 속았죠?"

"'지메일 모션'은 존재하지 않는 기술입니다. 적어도 현재까지는 말이죠. 자, 로그인해서 이메일을 확인하시든지, 아니면 이 시답잖은 화면을 닫아주세요."

재치, 창의력, 인간미, 그리고 사회풍자

구글의 장난은 이때가 처음이 아니다. 2010년에는 회장이 나와 회사 이름을 '토피카(Topeka)'로 바꾼다고 선언했고(미국 캔자스주 '토피카' 시가 '구글' 시로 지역명을 바꾼 일이 있다), 2008년에는 '이메일 시간조작 서비스(Gmail Custom Time)'를 발표했다. 메일을 뒤늦게 보내면서 시간 안에 도착한 것으로 위장할 수 있는 서비스다. 비록

'1년에 10번'으로 횟수를 제한하긴 했으나, 업무보고서나 과제물 마감시간을 맞추지 못하는 직장인과 학생들에게 희소식이었을 것이다.

인터넷 회사라고 해서 장난을 전자매체에 한정할 필요는 없다. 2007년 만우절에는 '종이 메일 서비스(Gmail Paper)'를 공개했다. 고객이 이메일을 보내면 회사가 종이에 인쇄해서 배달해준다는 것이다. 첨부파일도 걱정 없다. 사진은 고급 광택지에 인쇄한 후, 다른 문서에 클립으로 고정시켜 보내주겠다는 것이다. 음악파일 같은 건 인쇄가 어려우니 피하는 편이 좋다는 게 회사 설명이다. 매수에 제한은 없다. 천 장이든 만 장이든, 원하는 대로 보내준다.

하지만 종이를 많이 쓰는 건 반환경적인 행위가 아닌가? "사악해지지 말자"는 사훈을 지닌 구글이 환경론자들의 타당한 우려를 무시할 리 없다. 이미 만반의 준비가 갖춰져 있다.

"조금도 걱정하실 필요 없습니다. 지메일 인쇄 서비스는 96% 재생자원을 활용한 친환경 '유기농 콩종이'를 쓰기 때문입니다. 지메일 종이는 오히려 쓸수록 환경이 개선되는 효과가 있습니다."

때로는 발상의 전환도 필요하다. 검색 품질을 높이기 위해 프로그래머만 닦달할 이유는 없다. '검색전용 음료'는 어떨까? '구글 꿀꺽(Google Gulp)'이라는 '스마트 음료'는 사용자의 지능을 향상시켜 같은 검색 결과도 훨씬 효과적으로 쓸 수 있게 해준다. 상황과 구미에 맞는 다양한 맛과 색이 준비되어 있다.

기업들의 실없는 장난에 익숙하지 않은 독자들에겐 이런 것들이 기이해 보일 것이다. 무슨 이익이 있다고 이런 짓을 하는지 말이다.

물론 '입소문 마케팅(viral marketing)'의 요소가 있는 게 사실이다. 사람의 관심을 끌 만한 흥미 있는 이야기를 퍼뜨려 회사와 제품에 대한 인지도를 높이는 것이다.

하지만 이윤 추구와 상관없는 정부나 교육기관까지 만우절 장난 대열에 끼는 걸 보면, 특정한 목적을 노리는 행위라기보다는 그저 즐기기 위한 '유희문화'에 가깝다. 예컨대 1996년 만우절에 패스트푸드 체인인 '타코벨'은 주요 일간지에 전면광고를 냈다. "정부의 막대한 빚을 그냥 보고 있을 수 없어, 자유의 종을 사주기로 했다"는 것이다. 임자가 바뀐 필라델피아의 '리버티 벨(자유의 종)'은 이제 '타코 리버티 벨'로 불리게 될 터였다.

광고가 나가자 난리가 났다. 미국의 독립과 자유를 상징하는 자유의 종이 '민영화'되어 음식체인의 홍보수단이 되다니. 본사와 전국 체인점에는 항의전화가 빗발쳤고, 종을 팔아치운 정부에도 거친 비난이 쏟아졌다. 당시 백악관 대변인 마이크 매커리는 이렇게 해명했다.

"정부가 매각한 건 '자유의 종'만이 아닙니다. 링컨 기념관도 포드 계열사인 링컨-머큐리 자동차에 팔렸습니다. 이제 링컨 기념관은 링컨-머큐리 기념관으로 개칭될 것입니다."

이 허무맹랑한 농담을 사람들이 믿었다는 게 놀랍지만, '자유의 종 매각설'은 너무나 사실적으로 들렸다. 《한 시민의 영혼》의 저자 폴 로가트 로브의 말대로 우리는 "사기업의 이윤 추구 행위가 공공의 가치와 이상을 끊임없이 잠식하는 시장 만능 시대"에 살고 있기 때문이다. 타코벨이나 정부의 의도와 무관하게 이 만우절 농담은 통렬한 사회풍자 기능을 수행한 셈이다.

구글은 만우절 속임수의 명수지만, 이런 짓궂은 짓을 1년에 단 하루만 하는 건 아니다. 한 번에 그친다면 흥밋거리를 찾는 사용자와 장난기 넘치는 구글 모두에게 실망스러운 일이 될 것이다. 구글의 크롬 웹브라우저는 비정상 종료 시 장난스런 그림과 함께 "죽었네, 짐!(He's dead, Jim!)"이라는 메시지를 띄운다. 〈스타 트렉〉이 유행시킨 대사를 흉내 낸 것이다.

크롬 사용자라면 검은 안경에 중절모를 눌러 쓴 '스파이'를 목격한 일이 있을 것이다. 크롬 브라우저에서 '새 시크릿 창(new incognito window)'을 선택하면 '스파이 모드'가 된다. 이 상태에서는 브라우저가 검색기록을 남기지 않는다. 창을 닫는 순간 쿠키 등의 기록도 모두 사라진다. 남의 컴퓨터를 쓸 때 프라이버시 걱정을 덜 수 있는 기능으로, 말 그대로 사용자를 '비밀임무 수행 중인 스파이'로 만들어주는 것이다.

'의미 있는 장난'의 여유와 웃음

구글 서비스에서 재치와 장난기를 찾으려면 끝도 없지만, 가장 주목할 만한 것은 구글 검색엔진의 '운 좋은 느낌(I'm feeling lucky)' 버튼이다. 이것을 자주 쓰는 독자는 많지 않을 것이다. 구글도 이 기능이 별로 인기가 없다는 사실을 안다. 공식 통계로도 사용자 중 1% 미만이 이 버튼을 쓰는 것으로 알려져 있다.

그렇다면 왜 이 기능을 만들어놓은 것일까? 게다가 구글은 이 버튼을 유지하기 위해 막대한 손실을 무릅쓴다. 사용자가 검색어를 입력하고 '운 좋은 느낌' 버튼을 누르면, 가장 관련도가 높은 사이트로 즉시 옮겨 간다. 검색화면을 생략한 채 구글이 가장 적합하다고 간주하는 웹사이트로 직접 보내주는 것이다.

다들 알고 있듯 구글은 검색화면에 뜨는 광고를 주요 수입원으로 삼는다. 사용자가 '행운 버튼'을 쓰면 광고화면을 건너뛰게 되므로 그만큼 수입이 줄게 된다. 이로 인해 발생하는 연간 손실은 약 1억 1000만 달러에 이른다. 1100억 원이 넘는 막대한 돈이다. 그럼에도 불구하고 구글은 검색서비스를 시작한 1998년 이래로 이 버튼을 고수하고 있다.

구글이 이 기능을 언제까지 유지할지는 알 수 없다. 하지만 15년 가까이 이 '비싸고 인기 없는' 버튼을 포기하지 않았다는 사실은 놀랄 만하다. 대체 무슨 이유로 이런 무모한 투자를 계속해온 것일까?

본래 '운 좋은 느낌'은 검색 후발주자였던 구글이 검색 품질을 과시하기 위한 장치였다. 구글이 출범했을 때에는 벌써 웹크롤러, 라이코스, 알타비스타, 야후! 등이 시장을 지배하고 있었다. 구글은 버튼 하나로 사용자가 원하는 정보로 이동할 수 있게 해줌으로써 자신들의 우위를 드러내려고 했다.

구글은 '행운 버튼'을 통해 이렇게 말하는 셈이다. "우리가 골라준 사이트에서 당신이 원하는 정보를 찾을 가능성이 높다. 거기에 운까지 좋다면 두말할 나위 없다." 구글은 검색을 인간미 없는 '작업'에서 운을 점쳐보는 '게임'으로 바꿔놓은 것이다.

하지만 '운 좋은 느낌'의 본래 목적은 오래전에 달성되었다. 구글은 이미 2002년에 야후!를 제치고 검색시장의 선두주자가 되었기 때문이다. 2003년에는 야후!의 두 배를 뛰어넘는 점유율로 시장의 절반을 집어삼켰다. 2000년대 중반에는 '구글'이 '검색하다'라는 일반동사로 《옥스퍼드 사전》과 《웹스터 사전》에 수록되었다. 물론 사람들 사이에 '구글하다'라는 말이 보편화된 것은 훨씬 먼저다.

구글은 사실상 2000년대 초부터 검색 품질이나 지배력 면에서 적수가 없었다. '차별화'나 '경쟁력'을 과시하기 위해 '행운 버튼'을 유지할 필요성은 10여 년 전에 사라진 셈이다. 이후 '운 좋은 느낌' 버튼은 구글 특유의 재치, 창의력, 인간미를 드러내면서, 구글의 정신을 계승하는 상징적 의미로 남게 되었다. 구글은 매년 1000억 원이 넘는 비용을 들여가며 이 '의미 있는 장난'을 계속해온 것이다.

한두 해만 수익이 시원찮아도 사업부 전체를 접는 한국 회사들로서는 이런 기업문화가 '미친 짓'으로 보일 것이다. '문화'라는 말만 봐도 그렇다. 한국에서는 '문화'란 말 다음에 자연스레 '콘텐츠'나 '상품'이 따라붙지 않는가. 우리는 돈벌이가 안 되면 무엇이든 무가치한 것으로 여기는 사회에 살고 있다. 물론 돈벌이가 되면 무엇이든 가치 있는 것이 된다.

역설적이게도, 이처럼 '돈 밝히는 사회'에서 돈을 벌 가능성은 점차 줄고 있다. 여유 있게 웃고 즐기는 곳에서 '돈이 되는' 아이디어가 탄생하는 시대가 된 것이다. 하긴, '돈 밝히는 사회'는 돈을 벌어도 웃고 즐길 만한 여유가 없으니, 어느 경우든 불행하긴 매한가지겠지만 말이다.

유희문화는 미국 사회 전반에서 찾아볼 수 있다. 일상에서 발휘

되는 작은 재치는 삶에 재미와 창의적 에너지를 공급한다. 과거에 몸담았던 주립대학의 도서관 전산시스템은 '미친 고양이(MadCat)'였고, 매점 계산대에는 '탄핵 사탕'을 올려놓고 팔았다. 뚜껑에는 재임 중이던 부시 대통령이 쫓겨나는 모습 밑에 '사상 최악의 대통령'이라는 글귀가 쓰여 있었다.

복숭아향이 나는 이 박하사탕의 이름은 '임피치민트(Impeach mints)'. '탄핵'을 뜻하는 '임피치먼트(impeachment)'에 복숭아의 '피치(peach)'와 박하의 '민트(mint)'를 결합한 탁월한 작명이었다. 함께 놓여 있던 '반기득권 사탕(Anti-Establish Mints)'도 인기 자매품이었다. 이처럼 재치와 장난기는 탈권위 · 탈위계의 토양에서 자란다.

탈권위 속에 꽃피는 창의적 에너지

스티브 잡스가 아이폰 혁명을 일으킬 수 있었던 이유는 당시만 해도 당연하게 여겨지던 통신사의 권위를 무시했기 때문이다. 아이폰 이전만 해도 전화의 기능과 형태를 결정하던 사람은 통신회사 간부들이었다. 잡스는 자기주장만 하고 남의 말을 귀담아듣지 않던 통신사 임원들을 '터진 주둥이들'이라고 비판하면서, 아이폰 독점판매권을 미끼로 AT&T사로부터 "개발 과정에 아무런 간섭도 하지 않겠다"는 약속을 받아냈다.

스스로 권위를 무시하던 잡스가 부하 직원에게 권위를 내세울 수는 없는 일이었다. 일에 관해서는 피도 눈물도 없는 그였지만, 직원들과 관계를 맺을 때는 철저히 수평적 관계를 고수했다. 특히 잡스가 주관하고 전 직원이 참여하던 '커뮤니케이션 미팅'은 허심탄회한 대화가 오가는 장으로 유명했다.

잡스는 5분 정도 회사의 상황과 본인의 의견을 피력한 후 직원들로부터 즉석에서 질문을 받았다. 이 시간에는 "은퇴계획이 있느냐"는 민감한 질문부터 "지진이 나면 어떻게 하느냐"는 엉뚱한 질문까지 온갖 질문이 쏟아져 나왔는데, 잡스는 모든 질문에 성의껏 답했다. 물론 이 '창의적' 질문에는 창의적 답변을 예상할 수 있다. 잡스는 두 번째 '지진' 질문에 "무조건 뛰라(Just run)"고 답해 폭소를 자아냈다.

정부만 웃지 않는 코미디

2011년 방송통신심의위원회는 개인 트위터 계정을 임의로 차단해 조롱거리가 되었다. '2MB18nomA'라는 트위터 계정 이름이 욕설을 담은 '유해정보'이기 때문에 차단이 불가피했다는 것이다. 방송통신심의위는 이어서 같은 이름이 들어간 블로그와 페이스북도 차단했고, 중앙선거관리위원회는 계정 주인을 선거법 위반으로 고발했다. 그가 트위터에 "내년 총선에서 심판하자"고 쓴 글이 '사전선거운동'에 해당한다는 것이다.

허허 웃고 넘어갈 일에 죽자 사자 덤벼드는 걸 보면, 이명박 정부가 얼마나 유머 감각이 없는지 알 수 있다. 대통령 눈치를 보는 사람들이

'알아서 기는' 까닭이겠지만, 대통령이라도 나서서 "내버려둬라. 그런다고 욕할 사람이 안 하겠는가"라고 한마디 하면 얼마나 근사하겠는가.

어쨌든 차단조치 덕택에 그 '욕설 트위터'는 전국적으로 유명세를 탔다. 방송통신심의위가 '유해정보'를 널리 확산시킨 셈이다. 게다가 이 사건 후 '2MB18romA'나 '2MBsheepshakeit' 등 유사 아이디가 속출했다. 나조차 비슷한 이름을 지어보고 싶은 충동이 들 정도다.

그뿐인가. G20 정상회담 포스터에 쥐 그림을 그렸다는 이유로 공안 당국까지 나섰다. 담당 검사는 피고인에게 징역 10개월을 구형하며 근엄히 말했다. "청사초롱을 마치 쥐가 들고 있는 것처럼 그림을 그려 넣었다. 피고인은 우리 국민들과 아이들로부터 청사초롱과 번영에 대한 꿈을 강탈했다."

정말이지 엄숙한 사회다. 검사가 앞의 공판문을 읽으면서 웃지 않았다는 게 놀랍지 않은가. 이 상황이 희극적이라는 사실을 정부만 모를 것이다. 본래 코미디언이 심각한 표정으로 연기할수록 관객의 즐거움은 배로 늘지 않는가.

정부와 공안 당국이 이 사실을 알면 '진노'할지 모르지만, 이명박 대통령은 G20 정상회담이 열리기 전부터 외국에서 조롱거리가 됐다. 미국 풍자신문 《어니언(*The Onion*)》은 "전 세계에서 가장 영향력 없는 지도자들의 모임 G-175" 소식을 전하면서 이명박 대통령을 두 번째로 꼽았다. 보도에 따르면, 이명박 대통령을 비롯한 세계 최약국 지도자들은 '데이스 인(Days Inn)' 호텔에 모여, 세계 불평등 해소를 위해 '무엇을 할 수 없는지' 심각히 논했다 한다.

이명박 대통령이 좋아하는 부시 전 대통령도 집권 당시 '쥐' 로 자주 묘사되었다. 포스터나 벽의 낙서만이 아니다. 도로의 '버스 정지(BUS STOP)' 표시가 '부시 정지(BUSH STOP)' 로 바뀌기도 하고, '정차(STOP)' 안내판이 '부시 좀 말려(STOP BUSH)' 로 탈바꿈하기도 했다.

오바마도 예외는 아니다. 한국 정부가 그렇게 좋아하는 미국에도 '유해정보' 는 넘쳐난다. 미국 트위터 이용자들의 험악한 아이디에 비하면 '2MB18nomA' 는 차라리 함축적 시어에 가깝다. 대놓고 '오바마 XXX' 를 외치는가 하면, 무엄하게도 대통령을 '성기' 와 관련지어 만든 아이디도 숱하다. 칭찬받을 일은 아닐지 모르나, 그렇다고 정부기관이 나서서 고발하거나 계정을 차단하지는 않는다. 욕설이 '유해' 할지 모르지만, 이를 규제하기 시작하면 표현의 자유를 해치는 훨씬 더 유해한 결과를 낳기 때문이다.

어차피 국민들의 신임을 얻지 못할 바에야 조롱의 즐거움만이라도 허하는 게 어떨까. 구글의 예를 통해 보았듯, 농담과 웃음은 분노를 창의적 에너지로 바꾸어 경제 활성화에도 도움이 된다. 재치와 창의력이야말로 오염물질을 배출하지 않는 '저탄소 녹색성장' 의 원동력으로, 탁월한 고용창출 능력과 막대한 경제효과를 갖는다. '선진조국' 을 코앞에 둔 마당에 대통령의 체면만 생각할 수는 없지 않은가.

세계가 지켜보고 있다. '선진국 문턱' 을 넘을 때까지만이라도 정부는 '성질 배출' 을 자제해주는 게 좋겠다.

6장

망가진 의식

사람은 자신의 존재, 자신의 생각과 감정이
타인과는 무관하다고 착각한다.
이 내면의 착시현상은 감옥처럼 우리 시야를 좁혀,
자기 자신의 욕망을 채우고 주변의 몇 명만 돌보게 만든다.

알베르트 아인슈타인
Albert Einstein

대기업 경제연구소의 음흉한 보고서

삼성경제연구소(SERI.org)에서 펴낸《대학에 가지 않아도 성공하는 세상》이라는 재미있는 보고서를 봤다. 얼마나 속 시원한 제목인가. '교육'이랍시고 유치원 때부터 서로 할퀴고 물어뜯도록 만드는 이 지옥 땅을 비추는 한 줄기 빛 같지 않은가.

제목도 관심을 끌었지만 더 흥미로운 건 보고서가 '삼성경제연구소'에서 나왔다는 사실이었다. 다들 짐작할 수 있듯 대기업 연구소는 '가방끈 긴' 사람들로 가득하다. 고기도 먹어본 놈이 맛을 안다고, 공부도 해본 이들이 '공부해봐야 별것 없다'는 사실을 깨달은 걸까. 이유야 어찌 됐든 공부깨나 했다는 사람들이 나서서 '대학 가지 않아도 성공하는 세상'을 꿈꾼다니 반갑다.

그래서였을까. 살인적 경쟁교육을 비판해온 진보언론이 앞다퉈 보고서를 대서특필했다. 이해할 만했다. 하지만 보수언론과 정부까지 나서서 극찬을 쏟아내는 걸 보니 머릿속이 복잡해진다. '경쟁만

이 살 길'이라며 학생들을 들들 볶아놓고, 이제는 '자살방지 대책'이라며 학교 창문도 25센티미터 이상 못 열게 만든 장본인들 아닌가. '살 길'이라던 경쟁교육이 '못살 길'이라는 걸 뒤늦게 깨달은 걸까?

그러면 그렇지. 수수께끼는 의외로 쉽게 풀렸다. 삼성 보고서가 나온 직후 보수언론에 이런 제목의 기사들이 실리기 시작한 것이다.

〈반값 등록금이 아니라 대학을 반으로 줄여라〉

대학을 나와야, 그것도 '명문대'를 나와야만 사람 취급 받는 사회 분위기를 그대로 둔 채 대학을 반으로 줄이면 어떻게 될까? 창문 틈을 25밀리미터로 좁혀도 자살을 막지 못하게 될 것이고, 아이를 안 낳는 게 자녀에게 베풀 수 있는 최고의 배려가 될 것이다. 이렇게 되면 대학은 절반만 줄어드는 게 아니라 아예 사라질 것이다.

문제는 대학뿐 아니라 나라도 문을 닫아야 한다는 점이다. 보수가 아무리 생각이 없다 해도 나라가 없어지는 걸 바라지는 않을 터, 그저 이 말이 하고 싶었을 것이다.

"대학 등록금 못 내는 가난한 학생들은 '반값 등록금' 운운하지 말고 그냥 취직해라."

대학에 가지 않아도 성공하는 세상?

삼성경제연구소가 선의로 작성한 보고서를 보수언론과 정치권이 악용하고 있는 걸까? 사실을 말하면, 보고서가 그런 주장을 담고 있다. 더 정확히 말하면, 정부와 기업의 입맛에 맞게 짜 맞춘 보고서다. 정부를 보라. 언제는 "천연자원도 없는 나라에서 고급 두뇌 자원만이 살 길"이라며 고등교육을 강조하더니, 이제 대졸자를 책임질 수 없게 되자 "대학엔 왜 갔느냐"고 국민들을 나무란다.

한미 FTA를 추진할 때만 해도 "대학진학률이 82%를 넘을 정도로 뜨거운 교육열"이 고급 서비스산업의 경쟁력이라고 말하곤 했다. FTA가 '고학력 인력'에게 일자리를 가져다줄 거라는 약속도 하지 않았던가. 그런데 협정이 발효되고 나니 갑자기 '82% 넘는 대학진학률'이 '기회'에서 '문제'로 돌변한다.

정부는 대학이 너무 많아 문제란다. 그렇다고 치자. 그 '부실대학'을 전국에 깔아놓은 장본인이 누구인가. 새누리당의 전신 민자당이 1995년 '5·31 교육개혁'을 추진하면서 대학 설립과 정원을 자율화한 탓이다. 그전에는 교육부 장관의 승인을 받아야만 대학을 세울 수 있었다. 이 자율화 정책 덕에 김영삼 대통령 집권기에 대학진학률이 사상 최대의 증가세를 보였다.

정부는 이렇게 '고급두뇌'를 잔뜩 만들어놓고 나서 적당한 일자리를 공급하지 못하게 되자 난데없이 '과잉학력' 이야기를 꺼낸다. 현재의 취업난은 고용정책이 실패하거나 기업이 생산투자를 게을리해서가 아니라 국민의 허영심 때문이라는 것이다. 적어도 '300만 개 일자리' 공약으로 집권한 여당으로서 할 말은 아니다. "세금을 줄여주면 고용을 늘릴 수 있다"고 말하던 기업들 입에서 나올 소리도 아니다.

삼성경제연구소의 보고서는 정부와 기업이 주장해온 '과잉학력론' 을 고스란히 반복한다. 취직을 미끼로 집권한 정부와, 취직을 미끼로 특혜를 챙긴 기업에게 면죄부를 주면서 책임을 국민에게 전가하기 위한 것이다. 물론 제목은 아름답다.《대학에 가지 않아도 성공하는 세상》. 이 화사한 제목 뒤에는 학력차별을 합리화하고 고착화하는 논리가 숨어 있다.

그 음흉한 '논리' 가 논리적이기라도 하면 좋으련만, 그 문서는 '보고서' 라 부르기조차 민망할 정도다. 보고서 곳곳에서 드러나는 오류와 모순은 4명의 저자 뒤에 붙은 '연구전문위원', '수석연구원', '선임연구원' 따위의 호칭을 낯 뜨겁게 만든다. 이제 독자들은 박사들이 포진한 '대기업 경제연구소' 라는 곳에서 얼마나 한심한 수준의 보고서를 내놓는지 보게 될 것이다. 더 놀라운 것은 이런 엉터리 보고서들이 여론을 형성하고 정부의 정책을 좌우한다는 점이다.

이 글의 목적은 대기업 경제연구소 보고서가 결코 순수할 수 없음을 보여주려는 것이다. 속이 뻔히 들여다보이는 보고서, 예컨대《서울 G20 정상회의와 기대효과》(삼성경제연구소),《녹색뉴딜사업의 재조명》(삼성경제연구소),《해외 사례로 본 영리법인 병원 도입방안》(LG경제연구소) 같은 것들은 말할 것도 없고,《대학에 가지 않아도 성공하는 세상》처럼 '순박' 해 보이는 보고서도 기업의 이윤과 탐욕에서 자유로울 수 없다는 것이다. 아울러 이런 보고서를 들춰보지도 않은 채 무비판적으로 보도해온 언론에도 자성을 촉구하고 싶다.

문제의 보고서를 요약하면 이렇다. 고졸로 취직해도 될 사람들이 대학에 진학하고 있고, 이 '과잉학력' 현상이 국가경쟁력을 떨어뜨린다는 것이다. 이들이 진학 대신 취업을 해서 생산 활동에 참여하면 국내총생산(GDP) 성장률이 1% 늘어난다는 것이다.

보고서의 주장에 따르면, 대졸자들이 일자리가 마땅치 않아 고졸 직종으로 '하향 취업'을 하고 있고, 그 때문에 고졸자들의 취업문이 좁아지고 있다고 한다. 그 결과 고등학교만 졸업해도 충분한 사람들이 대학에 진학하는 '악순환'이 일어난다는 것이다.

통계상의 오류를 지적하기에 앞서, 전제부터 말이 안 된다는 점을 지적하고 싶다. 보고서는 대졸자가 고졸자 자리를 빼앗는 것을 문제의 시작으로 보지만, 중요한 건 대졸자든 고졸자든 일자리가 없다는 점이다. 지금 '하향 취업' 한다는 대졸자들이 진학을 포기하고 고졸로 '정상 취업'을 하게 된다 해도 취업시장은 똑같이 붐비게 된다. 대학을 덜 간다고 해서 구직자가 줄어드는 게 아니기 때문이다.

보고서는 '고졸자를 위한 괜찮은 일자리'를 만들면 된다고 말한다. 일자리가 말 한마디로 만들어질 수 있다면, 차라리 대졸자를 위한 일자리를 늘리는 게 현명하다. 그러지 않으면 이미 대학에 들어간 사람들이 '하향 취업' 하는 '악순환'은 그치지 않을 것이기 때문이다. 이미 태어났고, 지금 이 순간에도 탄생하고 있는 '과잉학력자'를 증발시킬 방법이 없다면 말이다.

보고서는 '학력철폐'를 말하지 않는다. 오히려 대졸자와 고졸자를 엄격히 구분하면서 "고졸자를 위한 괜찮은 일자리를 늘리라"고 말한다. 연구자들은 보고서에서 '고졸자'의 괜찮은 일자리를 다음과 같이 정의한다.

"고졸자만의 특정 기능과 기술 분야에 종사하면서 존중과 인정을 받는 일자리."

고졸자의 활동 영역을 '특정 기능과 기술'에 한정하며 학력차별을 고착화하는 논리다. 모두가 알듯, 페이스북의 마크 주커버그, 마이크로소프트의 빌 게이츠, 애플의 스티브 잡스는 대학 졸업장이 없는 '고졸' 출신이다. 보고서 논리대로라면, 잡스는 세계 최대의 회사를 이끌기보다 애플의 납품업체인 폭스콘 조립공장에서 일하기 적당했던 사람이다.

기득권의 이익을 위해 지식을 팔지 마라

보고서는 국가 목적을 위해 국민들을 수단으로 써도 좋다는 파시즘적 발상에 토대를 두고 있다. 연구원들은 보고서를 쓰기에 앞서 대학교육의 목적이 무엇인지부터 생각했어야 했다. 대학교육의 목적은 취직이 아니다. 교육은 국민 기본권이자 의무이고, 즐거움이며, 삶의 방향을 바꿀 수 있는 힘이기도 하다.

복잡하게 생각할 것 없다. 원하는 대로 교육받고, 학벌 상관없이 능력에 따라 취직하고, 일한 만큼 보수를 받는 사회를 만들면 된다. 당장 삼성경제연구소 취업 원서부터 학력란을 없애면 된다. 연구는

'고급 인력' 만이 할 수 있는 일이니 안 된다고? 하지만 4명의 '고급 인력' 이 매달려 작성했다는 보고서가 중학생도 저지르지 않을 오류로 가득한 건 어떻게 설명하겠는가?

보고서는 시작부터 한껏 위기의식을 고조시킨다. "대학진학률이 2008년 83.8%까지 상승했으나, 인적자본 상승률은 1991년 0.96%를 정점으로 2011년 0.86%까지 하락했다"는 것이다. 대학생은 늘었으나 노동의 질은 늘지 않았다는 것이다. 눈치 빠른 독자들은 벌써 이상한 점을 발견했을 것이다.

대학진학률은 2008년 수치를 보면서 인적자본 상승률은 왜 2011년 것을 가지고 따질까? 대학진학률이 2008년부터 급격히 떨어지기 시작했기 때문이다. 대학진학률은 2008년 83.8%로 최고치를 기록한 뒤, 2009년 81.9%, 2010년 79%, 2011년 72.5%로 무려 10% 이상 하락했다. 진학률이 이처럼 급속히 하락한 것은 유례가 없다. 학생들이 대학 등록금을 감당하지 못해 진학을 포기했기 때문이다.

만일 보고서 주장이 옳다면 '과잉학력' 현상이 줄어든 2008년부터 2011년 사이에 인적자본 성장률이 가파르게 상승했어야 옳다. 대학에 진학하지 않은 사람들이 생산인력으로 흡수되었을 것이기 때문이다. 하지만 이 기간에 인적자본 성장률은 도리어 곤두박질쳤다. 인적자본 상승률 저하가 '과잉학력' 과 무관함을 보여주는 것이다. 결국 그릇된 전제와 사실에 기초한 엉터리 보고서인 셈이다. 연구원들이 무능해서가 아니라면(물론 그럴 가능성은 충분히 있다), 어떤 의도를 가지고 만들어진 보고서임에 틀림없다.

보고서의 오류는 한두 개가 아니다. 예컨대 1991년부터 완만한 하향곡선을 그리던 인적자본 성장률이 처음으로 올라가는 시기가 있다. 2000년부터 2003년 사이이다. 하지만 이 시기는 '과잉학력' 현상이 심화되던 때였다. 이 3년 사이에 대학진학률이 68%에서 지금보다 높은 79.7%로 급상승했기 때문이다.

보고서는 인적자본 성장률의 감소 원인을 '과잉학력' 하나로 설명하지만, 더 중요한 원인은 따로 있다. 정부가 적절한 일자리를 창출하지 못하고, 기업이 인력을 적재적소에 쓰지 못하고 있기 때문이다. 여기에는 능력보다 학력을 따지는 한국 기업의 고질적 병폐도 한몫한다. 기업이 수익을 생산투자로 돌려 고용을 늘리기보다 고액배당으로 주가를 높여 손쉽게 돈을 버는 것도 심각한 문제다. 정부는 규제완화로 이런 악습을 부추긴 데 대한 책임을 져야 한다.

하지만 무엇보다 우려스러운 것은 대학생이 공부에 전념할 수 없는 환경이다. 공부할 능력과 의사가 있어도 비싼 등록금 때문에 진학 엄두를 못 내거나, 입학해도 아르바이트 자리를 전전하며 푼돈을 벌어야 하기 때문이다. 한창 지식과 교양을 쌓아야 할 학생들을 저임금 일터로 내몰면서 인적자본이 성장하길 기대할 수는 없다. 그런 면에서 '반값' 혹은 그 이하의 등록금은 인적자본 성장률을 높이기 위해 꼭 필요한 정책이다.

삼성경제연구소 보고서는 도표를 하나 달랑 던져놓고는 "대학진학 대신 취업해 생산 활동을 한다면, GDP 성장률은 1.01% 상승할 것"이라고 주장한다. 어떻게 해서 국내총생산(GDP)이 1% 이상 상승하는지 수치도, 계산 과정도 보여주지 않는다. 그런데 유일한 근거로 제시된 도표는 전혀 다른 이야기를 하고 있다.

'경제성장률에 대한 인적자본 기여도' 는 1981~90년 0.5%에서, 1991~97년 0.6%, 1998~2008년 0.7%로 계속 상승해왔기 때문이다. 보고서가 바로 앞부분에서 '과잉학력' 이 심각하다던 시기 아닌가. 2009년부터 2011년 사이 인적자본 기여도가 처음으로 감소하는데, 이 시기 대학진학률은 81.9%에서 72.5%로 급락했다. 보고서 주장과 달리, 대학에 많이 갈수록 인적자본 기여도는 높아지는 것이다. 상식적으로 생각해봐도, 교육을 많이 받을수록 인적자본 질이 떨어진다는 건 말이 안 되는 소리다.

이것저것 다 떠나서 "공연히 대학 가서 시간과 돈 낭비하지 말고 생산 활동이나 하라"는 말은 '수석연구원' 이나 '선임연구원' 이 할 말은 아니다. 대학 4년도 아깝다면서 자신들은 10년씩 학교에 눌러앉아 박사까지 한 사람들 아닌가. 자신의 '과잉학력으로 인한 기회비용' 도 계산해보라. 보고서 주장대로라면, 책상머리에 앉아 시간을 보내는 대신 생산 활동에 참여했다면 국가경쟁력도 올랐을 게 아닌가.

그게 아니라고 생각한다면 공부가 비단 취직이나 '생산 활동' 수단만이 아님을 인정해서일 것이다. 보고서를 쓴 연구자들도 공부가 삶을 얼마나 풍요롭게 만들어줬는지 알고 있지 않은가. 그러니 공부하고 싶은 사람은 돈 없어도 공부할 수 있고, 공부하기 싫은 사람은 차별 없이 일할 수 있는 세상을 만들어야 한다.

보고서를 쓴 연구원들에게 같은 '과잉학력자' 로서 충고한다. 제발 당신들의 지식을 기득권의 이해관계를 위해 쓰지 마라. 그건 당신들을 길러준 사회에 대한 배신이다.

실직 걱정하는 상위1%

나는 강남을 잘 아는 편이다. 한국을 떠나기 전까지 강남에 살았고, 그곳에서 꽤 오랫동안 다양한 배경의 학생들을 가르쳤다. 흔히 서울을 '강북'과 '강남'으로 구분한다. 그리고 많은 이들이 강남-강북 잣대로 주민들의 소득수준과 정치성향을 재단하곤 한다. 나는 이게 큰 오해라는 사실을 안다. 강남에는 부유층만 살고 있지 않다. 나도 강남에 살았지만 '부유층'과 거리가 멀었다는 것이 이 사실을 입증한다.

다양한 사람들이 다양한 이유로 강남에 산다. 단지 그곳에 태어났기에 사는 사람이 있고, 직장 때문에 옮겨 온 사람이 있다. 또한 자식 교육에 도움이 된다는 생각에 허리띠를 졸라매고 들어온 사람도 있으며, 그저 강남에 사는 게 좋아서 옮겨 와 하루하루를 힘겹게 지탱하는 사람들도 있다. 여기서 마지막 부류의 사람을 비웃고 싶어진다면 차분히 자신의 마음을 들여다보길 권한다.

'강남' 이라는 기호가 당신의 꿈이나 욕망에 아무런 파문을 던지지 않는다면, 당신은 진창과 같은 한국 사회에 살면서도 내면적으로 인식의 단절을 성취한 현인이거나 방송, 신문, 인터넷은 물론 주위 사람들과 담을 쌓고 사는 '반사회적 동물' 일 것이다(물론 이 글을 읽고 있지도 않을 것이다).

한국 언론은 이상화된 소비와 계급 담론을 '강남' 이라는 이름으로 끊임없이 유포하고 재생산한다. 보통 사람들이 이런 지배적 인식을 벗어나 살기란 쉽지 않다. 한국 어디에 살든 마찬가지다. '강남' 은 드라마, 뉴스, 광고, 주위 사람의 입을 통해 지겹게 자신의 존재를 드러낸다. 그건 한국뿐만이 아니다. 캘리포니아의 한인 타운에서 '강남에서 유행하는 화장품' 을 써보라는 권유를 받기도 했고, 뉴저지의 슈퍼마켓에서 '강남 베이커리에서 불티나게 팔린다는' 크림빵 샘플을 받아먹기도 했으니 말이다.

흥미롭게도, 현실과 별 상관없는 이상화된 담론이 거꾸로 실제 현실을 좌우하는 모습을 본다. 아파트, 옷차림, 머리 모양, 화장품, 크림빵 선택만이 아니라 정치적 선택도 그렇다. 부자이기 때문에 강남에 살고 '부자정당' 을 지지하는 게 아니라, 강남에 살기에 부자라고 믿고 부자정당에 투표하는 것이다. 심지어 부자정당에 투표하면 부자가 되어 강남에 살게 될 거라고 믿기도 한다. 사람은 이렇게 현실, 꿈, 이해타산, 순진한 욕망이 뒤섞인 복잡하고 모순적인 존재다.

이 글은 '옛 강남 주민' 이 현 강남 주민에게 드리는 고언이다. 앞으로도 내 신분은 쭉 '옛 강남 주민' 으로 남게 될 것 같다. 현재 외국에 살고 있어서가 아니라 귀국한 후에도 강남으로 되돌아가기는 불가능할 것 같기 때문이다. 내 월급으로는 그곳에 변변한 거처 하나 마련하기 어려울 게 틀림없다. 안타깝게도 이것은 현재 강남에 살고 있는 많은 사람들에게 닥칠 문제다. 지금 별 어려움 없이 사는 사람들을 포함해서 말이다.

순진한 욕망이 뒤엉킨 '강남'

이 말을 믿기 어렵다면, 《뉴욕타임스》의 통계를 보길 바란다. 한국 상황을 말하다가 갑자기 미국 일간지 이야기를 꺼내는 이유는 미국의 현재가 한국의 미래이기 때문이다. 막대한 재정적자, 소득 양극화, 공교육과 공공서비스의 붕괴, 천문학적 등록금, 고용불안 등 두 사회의 경제구조와 사회문제는 쌍둥이처럼 닮아가고 있다.

미국의 소득 양극화 문제가 심각하다는 이야기는 들어보았을 것이다. 《뉴욕타임스》가 보도한 통계를 보면, 2010년 소득증가분의 93%가 상위 1%에게 갔고, 나머지 7%가 대다수 국민 99%에게 돌아갔다. 한국에서도 똑같은 현상이 일어나고 있다. 강남 거주민 가운데 상당수가 상위 1%에 속할 텐데 뭐가 문제냐고? 그게 아니라는 데 문제가 있다.

2010년 한국 통계청 자료를 보면, 이른바 '상위 1%'의 평균 순자산액은 34억 원에 달한다. 이들의 연평균 소득은 2억 4000만 원을 넘어선다. 하지만 2008년 기준으로 강남구에서 월평균 소득이 500만 원 이상인 가구는 10가구 중 3가구에 지나지 않았다. 서울 전체

평균보다는 높지만, 강남구 10가구 중 7가구가 상위 1%의 월평균 소득인 2000만 원의 4분의 1도 벌지 못한다는 이야기다. 다시 말해 강남 안에서도 양극화가 일어나고 있는 것이다.

'강남의 양극화'는 수치가 아니라 경험적으로 증명할 수 있다. 대학원생 시절, 강남 아파트촌을 돌며 과외지도를 했다. 여기서 강남의 교육열에 대해 설명할 필요는 없을 것 같다. 한국 대부분의 가정이 그렇듯 강남 부모들 역시 자녀 교육비를 줄이는 일은 좀처럼 하지 않는다. 교육비를 줄이는 건 가계 경제가 취할 수 있는 최후의 선택이기 때문이다.

하지만 1997년 외환위기가 닥치자 수년간 해오던 과외 자리가 한꺼번에 우수수 떨어져 나가는 놀라운 경험을 했다. '강남 부자'가 얼마나 허약한 토대에 서 있는지 절감하는 순간이었다. 물론 이때도 상위 1% '슈퍼 부자'들은 오히려 쏟아지는 부동산 매물을 사들이고, 보유한 외환을 굴려 더 많은 돈을 긁어모았다.

부유층에게도 불안한 양극화

그렇다면 상위 1%에게는 아무 문제가 없을까? 천만의 말씀이다. 《뉴욕타임스》 통계를 자세히 들여다보면 더 놀라운 사실을 알게 된다. 상위 1% 안에서조차 양극화 조짐이 드러나기 때문이다.

미국은 2010년 소득증가분의 93%가 상위 1%에게로 갔지만, 이 몫의 배분에도 큰 격차가 있었다. 증가분 전체의 37%를 1%의 1%,

즉 0.01%가 가져갔기 때문이다. 그리고 나머지 0.99%가 56%를 나눠 가졌다(앞서 언급했듯, 소득증가분의 7%만이 99% 국민들 몫으로 돌아갔다). 이런 '부유층 양극화'는 날로 심화되고 있다.

2012년 3월 《월스트리트저널》은 흥미로운 설문조사 결과를 보도했다. 아메리칸 익스프레스·해리슨그룹 공동조사 결과, 상위 1% 중 무려 28%가 실직을 걱정한다는 이야기였다. 심지어 기업 소유주의 21%가 자기 회사가 한 해를 버티지 못할 것 같다는 암울한 전망을 내놓았다.

이들은 자아실현 도구로서의 직업을 잃게 되는 것뿐 아니라 돈 걱정도 했다. "죽기 전에 돈이 떨어질까 봐 걱정"이라는 사람이 38%에 달했다. 파산에 대한 우려로 인해 부유층 사이에 저축률이 상승하는 재미있는 현상도 일어나고 있다.

이 사실은 무엇을 말해줄까? 양극화를 심화시키는 정책과 후보는 상위 1%에게조차 도움이 안 된다는 것이다. 그리고 양극화가 심화될수록 한국의 상위 1% 내의 99% 역시 미국 부유층처럼 불안한 삶을 살게 될 것이다.

통계청에서 발간한 《한국의 사회동향 2009》는 외환위기 이후 "중산층의 보루로 여겨지던 전문·관리직 직장에서조차 대량 실업이 발생"했다는 사실을 지적한다. 한국에서 스스로 부유하다고 느끼는 사람들 가운데 다수는 실제 부자가 아니며, 객관적 의미의 '부유층' 조차 서민경제의 기반인 내수시장에 몸을 맡기고 있는 경우가 대부분이다. 부자들에게 이익이 될 거라고 막연히 믿는 반서민 정책과 한미 FTA는 내수시장을 심각히 위협할 것이다.

■

미국과 한국의 소득 양극화는 빈곤층뿐 아니라 중산층과 부유층까지도 위협한다. 최상위 1% 내에서도 급속한 양극화가 일어나고 있다는 사실을 보여주는 연구 결과들이 늘고 있다.

© 강인규

앞서 '착시투표'의 문제점을 지적했다. 부자이기 때문에 부자정당을 지지하는 게 아니라, '부자라고 생각해서' 혹은 '부자가 되고 싶어' 부자정당에 투표한다고. 한국사회여론연구소(KSOI)가 2007년 발간한 보고서는 이런 착시현상의 흥미로운 사례를 보여준다.

부자정당에 투표하는 불행한 현실

한나라당(현 새누리당) 지지자일수록 자신을 '중산층 이상'으로 인식하는 비율이 높았다. 무려 절반 이상이 스스로를 '중산층 이상'이라고 답한 것이다. 한국인 전체 평균은 이보다 훨씬 낮아 37.4%였다. 정말 보수정당 지지자들은 잘사는 것일까?

실제 현실을 보자. 한 보수언론의 통계보도가 실마리를 준다. 2009년 7월 29일자 《조선일보》는 동서리서치 조사를 인용해, 저소득층일수록 보수정당과 보수정치인을 지지하는 경향이 있다고 보도했다. 당시 한나라당 지지율이 가장 높은 계층은 월 소득이 100만원 미만으로 41.9%의 지지율을 보였다. 이명박 대통령의 지지율은 무려 53.7%에 달했다.

오히려 소득이 늘어날수록 보수정당 지지율이 줄어드는 경향을 보였다. 이런 정치성향은 한국뿐 아니라 미국에서도 발견된다. 잘살기 때문에 보수정당과 정치인을 지지하는 게 아니라, 보수정당을 지지할수록 잘산다고 착각하기 쉬운 것이다. 물론 자신이 0.01%에 속한다고 믿는다면 주저 없이 '부자정당'에 투표하면 된다. 바로 당신을 위한 정당이니까.

하지만 잘 판단할 일이다. 물론 여기서 상위 0.01%는 강남 주민 대부분과 상관없는 막대한 부를 축적한 사람들이다. 그리고 양극화가 심해질수록 당신이 그 부류에 속하게 될 가능성도 줄어들 것이다.

혹시 잘 판단이 서지 않는다면 이 기준이 도움이 될 것이다. 사교육비가 만만치 않고, 등록금이 부담스럽고, 자식의 미래가 염려되는가? 그렇다면 당신은 이 부류에 속하지 않는다.

현실을 보고 투표하라. 당신의 현실을 보고 투표해야 당신의 미래도 있다.

약자를 괴물로 만드는 사회

한국에서 두 번 죽을 고비를 넘긴 적이 있다. 모두 파란불이 켜진 횡단보도를 건너던 중이었다. 달려오던 차는 속도도 줄이지 않고 내 코앞을 스쳐 지나갔다. 횡단보도를 지난다 해도 차가 밀려 빨리 갈 수도 없는 상황이었는데 말이다. 교통법규를 지키지 않는다고 불평하는 것이 아니다. 내가 말하고 싶은 것은 단 하나, 사람이 건너고 있었다는 것이다.

자동차가 보행자를 대하는 방식을 보면 그 사회가 약자를 어떻게 취급하는지 알 수 있다. 한없이 기다려야 하는 보행신호나 켜지기가 무섭게 깜박이며 걸음을 재촉하는 신호등은 강자만을 배려하는 한국의 법과 제도를 상징적으로 보여준다.

나는 한국 사회의 준법정신이 약하다고 생각하지 않는다. 강하다 못해 강박적이기까지 하다. "버려진 쓰레기, 선진시민의식이 아쉽다"라는 말은 한국인들의 무의식까지 지배하는 말이 아닌가. 문제는 한국의 도덕이 쓰레기에서 시작해 쓰레기에서 끝난다는 사실이다.

생각해보자. 우리에게 정말 중요한 것이 기껏 길거리 휴지일까? 왜 한국 정부와 언론은 초등학교 수준의 도덕만 강조해온 것일까? 사회가 지켜야 할 정말 중요한 도덕적 가치를 은폐하기 위해서다. "사람을 수단으로 써서는 안 된다"는 기본 윤리 말이다.

희생을 강요하는 법과 제도

인정하고 싶지 않지만 한국은 약자를 수단 삼아 '발전'해온 야만적인 사회다. 가진 자가 덜 가진 자를 무시하고, 강한 자가 약한 자를 경멸하고, 남자가 여자를 착취할 때 법과 제도는 이를 보호할 뿐 아니라 권장하기까지 한다.

2011년 고려대 의대생들의 성추행 사건을 보라. 남자 3명이 의식을 잃은 동료 여학생을 집단으로 성추행하고 이 장면을 휴대폰으로 찍었다. 이게 우리 사회의 모습이다. 많은 사람들이 이 범죄에 분노하고 있지만, 이것은 흔하다 못해 정형화된 '한국적' 사건 가운데 하나다.

정상적인 사회에서 의식을 잃은 여성은 도움과 배려의 대상이지만, 한국에서는 육욕을 채울 호기가 된다. 범행 현장을 카메라에 담아 피해자를 협박하는 것은 기본이다. 자기가 저지른 범죄를 기록해놓고 오히려 피해자를 협박하는 기이한 일이 벌어지는 곳이 한국이다.

충격받을 필요는 없다. 모두 합심해서 뿌린 씨앗의 결과이니 말이다. 2004년, 밀양에서는 남자 고등학생 40여 명이 여중생 자매를 1

년 넘게 상습적으로 성폭행한 사건이 있었다. 이번 고려대 사건과 마찬가지로 당시 가해자들은 범죄 현장을 촬영했다. 그리고 "말을 듣지 않으면 동영상을 공개하겠다"고 협박하며 성폭행을 계속했다.

그러나 이 가해자 중 5명이 '보호관찰' 처분을 받았을 뿐, 아무도 형사처분을 받지 않았다. 이 사건이 "충동적이고 우발적으로 일어난 일"이며 "피해자가 평온한 학교생활을 하고 있다"는 것이 재판부 결정의 근거였다. 가해자들은 학교에서도 '교내 봉사활동' 등의 가벼운 조치 이외에 아무런 징계도 받지 않았다.

범죄가 드러난 이후에도 고통은 오직 피해자의 몫이었다. 경찰은 피해자에게 "밀양의 물을 다 흐려놨다"고 불평했고, 심지어 "내 딸이 너희처럼 될까 겁난다"는 폭언도 했다. 자매는 학교를 옮기려고 했으나 다른 학교들이 '성폭행 피해자'라는 이유로 전학을 받아주지 않았다. 또 어렵게 전학을 했지만 가해자 부모가 학교에 찾아와 처벌완화 탄원서에 서명하라고 행패를 부렸다.

피해자는 학교를 휴학할 수밖에 없었고, 그 후 정신적으로 불안정한 상태를 보이다가 행방을 알 수 없게 되었다. 늘 그렇듯, 분노는 가라앉고 사건은 잊혔다. 그리고 얼마 후 고려대 성추행 사건이 일어났고, 또 얼마 후 통영 초등학생 살해사건이 일어났다.

남자 대 여자, 부자 대 빈자. 한국 사회에서 결론은 이미 내려진 것이나 다름없다. 밀양 성폭행 가해자 부모 대다수는 지역 유지들이었다. 이들은 '앞길이 창창한 우리 아들' 걱정을 하며, 자신들이 오히려 피해자라고 주장했다. 피해자 가족에게 "딸자식 잘 키워서 이런 일이 없도록 하라"고 말하는 어머니도 있었다.

모성이 숭고하다고들 하지만 동물도 제 자식 챙길 줄은 안다. 중요한 것은 그것이 어떤 모성(또는 부성)인가다. 제 자식이 무슨 짓을 하고 돌아다녀도 지켜주기만 하면 된다는 사고방식은 곧 자식을 괴물로 키우는 것이다. 남의 삶을 파괴하면서도 아무런 거리낌 없는 괴물 말이다. 가치 있는 모성은 자식을 이런 괴물로 만들지 않는다.

나는 한국 사회에 도덕이 존재하지 않는다고 생각한다. '체면'이라는 게 있지만, 이것은 오직 다른 사람의 눈앞에서만 작동할 뿐이다. 종교가 도덕적 길잡이의 역할을 할 수 있지만, 한국에서 종교는 복을 빌고 연줄을 넓히기 위한 수단으로 변질된 지 오래다. 취업학원으로 전락한 대학이 도덕과 가치라는 철학적 문제를 다루는 건 불가능하다.

도덕도, 남에 대한 배려도 배우지 못한 우리 사회에 남은 건 '힘'이라는 정글의 법칙뿐이다. 세계경제포럼이 발표한 2010년 세계 성 불평등 조사에서 한국은 134개국 가운데 104위를 했다. 최저 수준의 성평등지수는 한국 여성이 왜 불행한지를 설명해준다. 한국이 곧잘 무시하는 캄보디아와 세네갈 등도 한국보다 높은 점수를 받았다.

2012년 여름, 통영 초등학생을 살해한 범인은 전과 12범이었다. 놀라운 것은 이 범인이 여성을 성폭행하려다 돌로 내리친 강간상해죄를 짓고도 고작 4년을 복역하고 풀려났다는 점이다. 과거에 비해 범죄 양형 기준이 강화되었다고는 하나, 실제 현실은 그렇지 않다. 법원 양형위원회 2010년 보고서를 보면, 13세 미만 아동 성범죄의 평균 형량이 3.41년이었다. '강화'되었다는 형량이 그 정도다.

더 기가 막힌 건 집행유예 선고는 오히려 늘었다는 점이다. 양형

기준이 강화되었다는 기간에 13세 미만 성범죄에 대한 집행유예 처분 비율은 37.3%에서 54.6%로 뛰어올랐다. 여성가족부가 2011년 분석한 결과를 보면, 아동청소년을 대상으로 성매매를 하거나 알선한 범죄의 집행유예 선고율은 무려 75%였다. 검찰과 법원이 온전한 판단력과 윤리의식을 지니고 있는지 의심하지 않을 수 없다.

힘의 논리와 비인간적 선택

성범죄 감형 논리도 이해할 수 없기는 마찬가지다. '초범이어서', '술에 취한 상태였기에', '반성하고 있으므로', '미성년자인 줄 몰랐기에', 심지어는 '업적을 고려해' 형을 줄여주는 게 한국 법원이다. 아동성범죄를 제외하고는 '주취감경' 도 여전히 폭넓게 인정되고 있다. 술 취한 상태에서 범죄를 저질렀다고 형을 감해주는 것은 범죄자에게 도망갈 길을 마련해주는 것과 같다. 술에 취해 자신도 모르게 죄를 저지르는 사람은 용서가 아니라 격리가 필요하다. 술을 못 마시게 '목 띠' 같은 장치의 착용을 의무화하거나 말이다.

가장 놀라운 건, 한국 법원이 가해자를 피해자에게 되돌려 보내는 판결을 일상적으로 내린다는 점이다. 2010년 12월, 서울고법 형사7부(부장 김인욱)는 친딸을 성폭행해 임신시킨 아버지를 항소심에서 7년형으로 감경해 판결했다. 재판부는 감형 사유로 초범이며, 반성하고 있고, 자녀 양육에 최선을 다했고, 딸의 임신과 출산 사실을 몰랐다는 점 등을 들었다.

2012년 6월, 제주지방법원 제2형사부(부장 최용호) 역시 딸을 세 차례 강간한 아버지에게 7년 형을 선고하면서 같은 이유를 댔다. 피고인이 반성하고 있고, 피해자를 부양해왔던 점을 참작했다는 것이다. 피해자의 생계를 책임졌거나 혹은 앞으로 그래야 한다는 이유로 가해자를 돌려보내는 것이다.

이는 피해자에게 밥을 굶든지, 성폭행 위험을 감수하든지 둘 중 하나를 고르라는 것과 같다. 국민의 기본적 삶을 책임지지 않는 국가가 얼마나 부도덕해질 수 있는지를 보여주는 예가 아닐 수 없다. 교도소 지을 돈이 아깝다고 범죄자를 풀어주는 행위와 다를 바 없다.

국가의 이런 무책임은 사회 전체에 비윤리와 힘의 논리를 강제하는 결과를 낳는다. 2009년 11월, 서울고법 형사6부(부장 박형남)는 열 살짜리 의붓딸을 성폭행한 남자에게 징역 3년 6월을 선고했다. 본래 4년 형을 받고 복역 중이었으나, 혼자서 40만 원의 기초생활수급자 지원금으로 세 아이를 키워야 했던 부인이 궁핍하고 비참한 삶을 견디다 못해 선처를 호소한 탓이다. 복지 부재가 피해자들에게 비인간적 선택을 강요하고 있는 셈이다.

한국에서 부모가 자살을 하면서 자식도 함께 살해하는 경우가 있다. '자식을 소유물로 보는 태도'를 지적하는 사람들이 많지만, 더 정확한 이유는 부모 없는 아이의 삶을 국가가 책임지지 않기 때문이다. 물론 국가 탓만은 아니다. 국가의 무관심이 주는 고통에 뒤지지 않을 만큼 가혹한 사회적 따돌림도 각오해야 하기 때문이다.

이처럼 성범죄 처벌 기준을 강화하는 것도 필요하지만, 무엇보다 중요한 것은 검찰·경찰·사법기관의 인식 변화다. 납득하기 어려운 판결이 보여주듯, 수사와 재판 과정에서 남성 중심의 왜곡된 가치관과 성의식이 반영되고 있기 때문이다. 이로 인해 성범죄 피해자들이 재판 결과는 물론, 수사 과정에서도 큰 고통을 겪는다. 실제로 '여성의 야한 옷차림이 성폭력의 원인'이라고 믿는 남성 법관들이 여성 법관에 비해 두 배나 많은 게 현실이다. 이는 법관들을 대상으로 한 성교육과 인권교육이 시급함을 말해준다.

같이 먹고 같이 살자

그러나 법이나 법관들의 인식 변화는 대체로 이미 일어난 범죄에 대한 것이다. 물론 엄격한 법집행이 범죄를 예방하는 데 기여하지만, 어디까지나 '경고'를 통한 수동적 예방일 수밖에 없다. 이보다 중요한 것은 약자를 보호하고 배려하는 나라를 만드는 것이다. 이것은 모두에게 혜택을 돌리는 지름길이다. 사회에서 가장 약한 사람이 행복한 나라는 모두가 행복하기 때문이다.

한 남성이 이웃의 초등학생 어린이를 성폭행하려다 살해한 통영의 사건은 제 탐욕을 채우기 위해 어린 목숨을 희생시킨 개인 못지않게, 굶주린 상태에서 아무에게나 끼니를 구걸해야 했던 어린이를 방치한 국가의 책임도 크다. 《한겨레》 보도에 따르면, 이 열 살 소녀는 '배고프다'는 말을 입에 달고 살았다고 한다.

약자를 배려하는 사회를 만들기 위해서는 우선 국가부터 모범을 보여야 한다. 정당은 아이들에게 밥 한 끼 먹이는 것을 가지고 '좌파'니 '포퓰리즘'이니 하며 한심한 논쟁을 벌이는 일부터 그만두어야 한다. '보편복지'니 '선별복지'니 하는 논란도 본질을 벗어난 것이다. "부자 아이들에게 왜 공짜 밥을 주느냐"라는 질문이 "부자에게 왜 서민 밥을 먹이느냐"라는 항변이 아니라면, 같이 먹이고 부자에게 그 몫만큼 더 세금을 내게 하면 된다.

세계 경제력 10위권에, 전 세계에 최첨단 제품을 파는 나라에서 아이들이 굶는다는 건 말이 안 된다. 이들의 삶을 지켜줄 수 없다면 무엇 때문에 성장하고 무엇을 위해 발전하는가. 교육도 그렇다. 옆에서 남이 굶고 있는데 제 입에 밥을 꾸역꾸역 쑤셔 넣는 '글로벌 인재'를 길러 무엇하는가. 사실 한국 사회는 남의 고통을 무시하는 정도가 아니라 그 고통을 이용해 제 욕심을 채우도록 가르친다.

가정도 그렇다. 우리는 밀양의 여중생 성폭행 사건에서 고려대 성추행 사건까지 부모가 어떻게 가해자 편에 서서 피해자를 이중, 삼중으로 괴롭히는지를 보았다. 레베카 워너와 에보니아 워싱턴 같은 사회학자들의 연구가 보여주듯, 자식의 성별은 부모의 사회문제에 대한 인식에 큰 영향을 미친다. 대체로 아들을 둔 부모는 보수적 선택을 하고, 딸을 둔 부모는 약자의 입장을 대변하는 진보적 선택을 하는 것이다.

아들로 태어난 사람과 아들을 둔 부모는 자신도 모르는 사이에 가해자 편이 되지 않도록 조심해야 한다. 그게 진정한 강자이고, 그게 진정한 모성애와 부성애다.

용감한 사표가 사회를 바꾼다

"그 사람 찍으면 사표(死票)가 돼."

언어에는 한 사회의 사고방식이 녹아 있기 마련이다. 이 '사표'라는 말이 그렇다. 한국 근대정치사만큼의 오랜 역사를 자랑하는 말이기도 하다.

모두가 알고 있듯 민주주의 국가에서는 누구나 동등하게 한 표의 투표권을 갖는다. 이 개인의 선택권은 두 가지 면에서 중요하다. 하나는 사회적 지위, 재산, 권력과 상관없이 똑같은 권리를 갖는다는 것이고, 다른 하나는 온전히 개인의 의사에 따라 이 권리를 행사한다는 것이다.

이 과정에서 필요한 것은 합리적 판단이다. 다양한 정보를 놓고 토론하는 가운데, 어떤 후보가 개인과 공동체의 이익에 기여할 것인지 숙고하는 것이다. '숙의 민주주의(deliberative democracy)'가 민주주의와 동의어로 사용되는 이유가 여기에 있다.

그러나 한국에는 이 민주적 절차를 해치는 비합리의 그림자가 곳곳에 숨어 있다. '사표' 라는 말에는 그냥 다른 사람을 따라서 투표하라는 부당한 요구가 담겨 있다. 될 사람을 밀자는 발상은 후보의 능력이나 자격을 판단하는 '숙의' 와 무관하며, 개인의 판단은 '집단' 의 이름으로 간단히 무시된다.

집단에 가려진 비합리성의 그림자

사표 논리는 소신에 따라 투표하는 사람들을 어리석다고 조롱한다. 그것은 곧 '죽은 표' 이자 쓸모없는 표이며, 그런 표를 던지러 투표장에 가는 것은 시간 낭비라고. 이런 집단적 사고가 교묘하게 한국 사회를 지배해왔으며, 정치권은 이 논리를 자신들의 입맛에 맞게 활용했다. 여기에는 여야가 따로 없었다.

그러나 정말 어리석은 사람은 '될 사람' 을 미는 유권자가 아닐까? '될 사람' 을 뭐하러 미는가? 당신이 밀어주지 않아도 될 텐데 말이다. 투표는 한 개인이 지지를 표하는 것이고, 이렇게 한 표씩 모인 지지의 결과로서 한 명이 선출되는 것이다. '사표' 는 후보를 미리 선출해놓고 표를 던지라고 요구하는 것만큼 기이한 논리다.

그렇다면 민주주의와도 상관없고 논리적이지도 않은 이 사표 논리는 어떻게 탄생했을까? 아마도 다수의 무리 속에 속해야 편안함을 느끼는 심리적 동기와 관련되어 있을 것이다. 여기에 오랫동안 한국 사회를 짓눌러온 권위주의적 통치도 한몫했을 법하다. 과거 폭압의 시절에 소수의 목소리를 낸다는 것은 '심리적 불편' 정도가 아니라 육체적 안전의 포기까지 의미했기 때문이다.

자신의 이익에 따른 선택

가장 이상적인 투표 행위는 이타적 투표일 것이다. 자신보다 어려운 사람들을 지켜줄 후보를 고르는 것이다. '국익' 은 무시하자. 이것은 실체가 없는 말이다. 후보를 고르는 데에도 도움이 되지 않는다. 대선 후보치고 '국익' 에 숭고한 애정을 보이지 않는 이들이 있던가.

그러나 이타적 투표는 쉽지 않은 일이다. 타인을 배려하기는커녕 자기 이익을 대변할 후보를 고르기도 만만치 않은 게 현실이다. 그러니 욕심낼 것 없이 철저하게 자신에게 득이 될 사람에게 표를 던지도록 하자. 이것만으로도 민주주의를 건강하게 지킬 수 있다.

부동산 가격이 오르기를 원하거나 아무런 제약 없이 자식들에게 기업과 재산을 물려주기를 원하는 사람들은 '탈규제' 와 '감세' 정책을 내세운 후보에게 투표하면 된다. 부끄러워할 것 없다. 이것은 민주주의가 보장하고 있는 권리다.

민주주의의 적은 오히려 자신의 이익을 해치는 사람에게 표를 던지는 것이다. 내가 다녔던 학교를 나온 후보를 뽑는 게 도대체 내 장래에 ("대통령과 동문"이라는 자랑 말고) 어떤 도움이 될까? 그 후보가 비정규직인 당신 목을 죄는 '노동유연화' 정책을 내세운 사람인데 말이다. 연고지에서 대통령이 나오는 게 내 고향의 미래에 ('일해공

원' 같은 기념물을 제외하고) 어떤 도움이 될까? 그의 관심이 오직 '수도권' 에만 있는데 말이다.

'될 사람'을 찍는다면 희망은 없다

2007년 대선에서 한국노동조합총연맹은 한 후보에게 지지를 표명했다. 이들이 선택한 후보는 자신의 '반노조' 성향을 거듭해서 밝혀온, 따라서 노조의 이익과 정면으로 충돌하는 사람이었다. 해당 후보는 "지하철 기관사는 쉬운 자리여서 그게 드러날까 봐 파업도 못한다"는 발언과, "인도에서는 노동자들이 자부심이 있어서 노조를 만들지 않는다"는 말로 노조에 대한 반감을 드러냈다.

한국대중문화예술인복지회 소속 연예인 30여 명도 기자회견을 열어 같은 후보를 지지한다고 선언했다. 그 "후보야말로 대중문화 선진국의 위업을 달성할 유일한 대안"이라는 것이었다. 그러나 그가 그동안 보여준 문화관은 "불건전 음악인들의 블랙리스트를 만들어 올리라"는 주문과 "오케스트라 연주자들은 한 달에 한두 번 공연하면 나머지는 자유 시간 아니냐"는 질문이었다. 연주자들이 공연 하나를 무대에 올리기 위해 수많은 시간을 연습해야 한다는 사실조차 모르는 사람이 '문화 선진국의 위업을 달성할 유일한 대안' 이었단 말인가?

전국의 42개 대학교 총학생회장들도 지지를 공식 선언했다. 이들은 선언문을 통해 그 후보가 '청년실업문제를 해결할 최적임자' 라고 주장했다. 이 지지자들은 '88만원 세대' 라는 이름으로 사회에 나가 비정규직의 고통을 온몸으로 안게 될 젊은이들이었다. 이들이 선택한 후보는 집권 후 "기업 경쟁력을 위해 필요하면 언제든지 노동자들을 해고할 수 있게 할 것"이라고 공언했던 사람이었다.

모순적인 지지선언으로 말하면 종교계를 빼놓을 수 없을 것이다. 이들은 사회의 부패와 타락을 가장 걱정하는 사람들이다. 이들이 가장 열정적으로 지지했던 후보는 가장 심각한 도덕적 논란에 휩싸였던 사람이다.

이 모순을 어떻게 설명할 수 있을까? 처지와 상관없이 자신을 '주류' 와 동일시하고 싶은 욕망 때문일까? '될 사람' 에게 잘 보이면 뭔가 좋은 일이 있을 것이라고 생각하는 것일까? 군사독재 시절에 얻은 '밉보여서 좋을 일 없다' 는 교훈 때문일까?

앞서 말했듯, 자신들에게 이익이 된다면 지지를 마다할 까닭이 없다. 그러나 그에 앞서 지지 후보의 집권이 구체적으로 어떤 도움을 주는지 생각할 일이다.

'똑같은 놈들'을 교체하라

사람들은 생각보다 과거를 쉽게 잊는 경향이 있다. 대통령 선거만 해도 그렇다. 월드컵이나 올림픽처럼 일정 주기마다 돌아오는 일상적인 행사처럼 느껴지니 말이다.

그러나 대선은 우리 국민이 피로 얻어낸 소중한 권리다. 우리가 대통령 직선제를 얻기 위해 어떤 희생을 치렀는지 생각한다면 개인에게 주어진 표를 함부로 던지거나 포기할 수 없을 것이다. 이 소중한 기회를 활용해 반드시 나의 이익을 지켜줄 사람에게 표를 던지도록 하자.

'사표' 를 걱정할 필요는 없다. "그 사람에게 안 던지면 사표가 된다"는 사람은 당신이 아니어도 '될 사람' 이니, 무시하고 당신의 지지를 표하라. 막연히 '좋을 것 같다' 는 느낌이 들거나, 이유 없이 그 사람을 찍어야 할 것 같은 강박이 들 수도 있다. 이익에 반하는 선호, 우리는 이것을 '이데올로기' 라 부른다.

'될 사람' 을 자임한 후보가 사회 변화를 주도한 적은 없다. '될 후보' 만을 찍는 국민이 역사를 바꾼 일도 없다. 비록 당신이 던진 표가 이번에 대통령을 만들지 못한다 할지라도, 그 표는 언젠가 변화를 일구어낼 것이다. 그러나 '될 사람' 을 따라서 찍는 유권자들에게는 미래 어디에도 희망은 없다.

오직 당신의 용감한 '사표' 만이 사회를 바꿀 수 있다.

또 한 가지 버려야 할 것이 있다. '그 밥에 그 나물이어서 뽑을 사람이 없다' 는 생각이다. 이런 분노가 제대로 작동해서 아무도 안 뽑히면 좋겠지만, 현실이 어디 그런가. 어느 경우든 '똑같은 놈들' 가운데 하나가 뽑히니 문제다. 투표라도 하면 내가 지지하는 사람과 지지하지 않는 사람 가운데 한 명이 뽑히지만, 기권하면 항상 내가 지지하지 않는 사람만 뽑힌다.

투표를 망설이는 사람들도 느끼고 있듯, 현재 한국 사회는 심각한 문제를 겪고 있다. 최근 발생하는 범죄를 보면 '치안 양극화' 현상이 두드러지는 것을 알 수 있다. 국민 대다수를 차지하는 서민들 사이에서 빈곤율이 늘고 있으며, 이들이 범죄에 노출될 가능성도 높아지고 있는 것이다. 한국의 '치안 양극화'는 공교육의 몰락이나 철도, 공항 등 공공시설의 영리화와 같은 공공서비스 붕괴의 맥락에서 파악해야 한다. 부유층은 공권력의 더 큰 관심을 받을 뿐 아니라 안전한 거주지, 감시카메라, 보안장치, 보안서비스 등을 구매함으로써 치안 공백을 메울 수 있다. 하지만 서민들에게는 이런 사치가 허용되지 않는다.

사실 문제를 지적하자면 끝도 없다. 불법사찰, 사회 양극화, 4대강 보와 다리의 안전, 식수원 오염, 고리 원자력발전소 사고, 동시다발적 무역협정으로 인한 농업과 산업 붕괴, 막대한 국가부채와 가계부채를 보자. 이에 대한 정부의 대답은 정해져 있었다.

"별문제 없다."

이 문제들이 심각한 이유는 문제가 존재한다는 사실뿐 아니라, 이 문제에 대해 아무것도 제대로 밝혀진 게 없다는 점이다. 이 문제들은 은폐될 때까지 은폐되다가 감당할 수 없는 지경에 가서야 한국 사회를 집어삼킬 것이다. 지금 우리가 해야 할 일은 문제를 객관적으로 진단한 후 합리적인 대책을 세우는 것이다.

선거에서 문제를 덮을 사람을 뽑는다면 한국 사회는 재앙을 피할 수 없게 될 것이다. 이 말이 믿기지 않는다면 1997년 외환위기를 생각해보라. 파국 직전까지도 여당과 주류 언론 그 어디에서도 경고의 목소리는 나오지 않았다. 지금 우리가 듣고 있는 대답만 되풀이했을 뿐이다.

"별문제 없다."

여당이든 야당이든 다 똑같다고 믿는 분들에게 하고 싶은 말이 있다. 정말 '이놈이나 저놈이나' 다 똑같다면, '지난 번 뽑아준 놈'이 별로 잘하지 못했다는 이야기다. 잘하라고 뽑아놨는데 '뽑히지 않은 놈'과 별 차이가 없다는 건 말이 안 되기 때문이다.

그렇다면 선택은 정해져 있다. 둘 모두를 긴장시키는 선택을 하는 것이다. 뽑힌 놈이 확실히 낫지 않으면 언제든 교체될 수 있다는 두려움을 심어주는 것이다.

다시 말하거니와 '똑같은 놈들'은 없다. '사표'도 없다.

에필로그

한국 사회의 변화를 갈망하는 당신에게

인간은 공감하는 존재다. 공상과학소설가인 필립 딕은 "공감 없는 사람은 실수로 만들어진 로봇이나 다름없다"고 말했다. 경제학자 제러미 리프킨은 '공감(empathy)'을 이렇게 정의한다. "다른 사람이 겪는 고통의 정서적 상태로 들어가 그 고통을 자신의 고통처럼 느끼는 것."

공감은 대단히 심오한 능력인 것 같지만, 사실 침팬지 같은 유인원에게서도 발견되는 특성이다. 공동생활을 하는 동물들에게 공감의 능력이 없다면 어떻게 될까? 남의 고통은 아랑곳없이 제 욕심만 채우려 들 것이고, 서로 싸우다 결국 아무도 살아남지 못하게 될 것이다.

공동생활을 하는 동물은 서로가 서로를 필요로 한다. 혼자 살 수 있다면 애초부터 무리를 짓지 않았을 것이다. 협력해야 생존할 수 있기에 공동생활을 하는 것이고, 그렇기에 상대의 입장을 이해하는 능력이 필요하다.

동물학자인 프란스 드 발은 이런 '사회적 본능'에서 도덕이 시작되었다고 본다. 무리를 짓고 그 안에서 생존하기 위해서는 일정한 규칙이 필요하기 때문이다. 남을 돕거나 배려하는 것은 고귀한 이타심의 발로라기보다 남들 속에서 자신이 평온하게 지내기 위한 방편인 셈이다.

드 발은 침팬지조차 배려와 협력의 본능을 지니고 있음을 보여준다. 그는 2011년 말 테드(TED) 강연에서 100년 가까이 된 낡은 기록영화를 보여주었다. 거기에는 우리에 갇힌 침팬지 두 마리가 밧줄을 하나씩 쥐고 열심히 잡아당기는 장면이 담겨 있다. 밧줄은 우리 밖에 놓인 과일 상자 양 모서리와 연결돼 있는데, 꽤 무게가 나가기 때문에 혼자서는 잡아당길 수 없다. 침팬지는 함께 힘을 합쳐 상자를 손에 넣은 후 즐겁게 음식을 먹는다.

더 흥미로운 건, 두 마리 중 한 마리가 배가 부른 경우다. 배고픈 놈이 힘껏 줄을 당겨보지만 혼자서는 할 수 없다. 그는 배부른 동료의 어깨를 툭툭 치며 도움을 요청한다. 그런 다음 함께 밧줄을 당긴다. 배부른 놈이 가끔씩 한눈을 팔긴 하지만, 결국 끝까지 힘을 보태준다. 상자가 코앞에 도착하면 배부른 놈은 거들떠보지도 않고 주린 놈만이 과일을 독차지한다.

신기하지 않은가? 배부른 침팬지는 어차피 노동의 결실을 얻지 못할 텐데 왜 도움을 베풀까? 간단하다. 자신도 언젠가 배가 고파지리란 것을 알기 때문이다. 그때가 되면 자신도 동료의 힘을 빌려야 할 것이다. 이렇듯 남을 배려하는 것은 결국 자신을 배려하는 것이다.

사람은 어떨까? 여전히 집단생활을 하고 있지만 협력과 배려의 본능은 잃어버린 것 같다. 그렇지 않고서야 어떻게 아파트 주민들이 배달원에게 엘리베이터 금지령을 내릴 수 있을까? 제 입에 음식을 날라주고, 제 집 앞에 신문을 놓아주는 사람에게 말이다.

2012년 여름, 서울의 한 아파트 단지에 "배달사원의 승강기 이용을 금지한다"는 경고문이 나붙었다. 배달원들은 "반드시 계단을 이용해 배달"해야 하며 "개선되지 않을 시 이에 상응하는 강력한 조치를 취하겠다"는 내용이 담겨 있었다. 승강기 고장과 전력 낭비, 입주민들이 승강기 사용에 불편을 겪기 때문에 제한이 불가피하다는 것이다.

그러는 이유가 승강기 유지비와 전기료가 아까워서라는데, 배달원들이 아파트에 놀러 가기라도 한단 말인가. 그들이 아니라면 어떻게 당신이 코를 골며 잠자는 사이에 신문이 문 앞에 놓일 수 있으며, 당신이 눈곱도 떼지 않은 채 맛있는 음식을 거실에서 받아먹을 수 있단 말인가.

물론 아파트 측은 나름의 이유를 댔다. "배달원들이 엘리베이터를 쓰기 때문에 새벽에 교회에 가거나 출근하는 주민들이 불편을 겪는다"는 것이다. 그런 '불편'을 호소한 걸 보면 주민들도 아파트 계단을 오르내리는 일이 만만치 않다는 사실을 충분히 알고 있는 것 같다. 그게 아니라면 승강기를 기다리기보다 걸어 내려갔을 테니 말이다. 그런데도 무거운 음식 박스와 신문더미를 든 채 아파트를 수도 없이 오르내려야 하는 배달원들에게 승강기를 타지 말라는 것이다.

만일 일부 배달원이 모든 층을 눌러놓고 사용하는 게 문제였다면, '사용 금지' 경고문이 아니라 "주민들에게 최대한 불편이 가지 않게 사용해달라"는 협조 공문을 붙였어야 옳다. 더 기가 막힌 건 '새벽에 교회에 가는 주민들'이 민원을 제기했다는 사실이다. 새벽기도에 참석할 만큼 신실한 교인들은 교회에 앉아 무슨 기도를 하고 무슨 은혜를 받았을까. "네가 대접받고 싶은 대로 남을 대접하라." 공감의 원칙은 예수가 말씀하신 이 황금률에도 들어 있다.

예수는 물론, 침팬지도 이러지는 않을 것이다. 침팬지는 공감의 능력을 발휘할 줄 알기 때문이다. 이번 일은 어느 한 아파트만의 경우가 아니다. 다른 아파트에서도 비슷한 경고문이 발견된 적이 있으며, 실제로 여러 지역의 입주민들이 승강기에 탄 배달원들에게 눈총을 주고 있다.

우리가 침팬지 수준은 된다고 주장하려면, 둘 중 하나는 선택해야 한다. 배달을 시키지 말든가 배달원들의 승강기 사용을 허용하든가. 하지만 우리의 모습은 어떤가. 승강기도 타지 못하게 하면서 버젓이 고층 아파트에 앉아 음식을 주문하고는 늦게 왔다고, 음식이 식었다고 타박하기 일쑤다. 한국은 어느새 '예수라면 어떻게 하실까'에 앞서 '침팬지라면 어떻게 할까'를 생각해야 하는 사회가 된 것이다.

연대와 공감의 확장

우리도 한때는 침팬지 못지않은 박애정신을 지니고 있었다. 기억

하기 어렵겠지만, 우리도 어려서는 옆의 아기가 울 때 같이 울어주는 연대의식을 발휘하지 않았던가. 다행히 우리의 공감능력이 완전히 사라지지는 않았다. 근처의 낯선 사람이 하품을 할 경우 우리도 따라서 하품을 하니까. 우스개가 아니라 과학자들은 이런 반응을 타인에 대한 공감 본능의 표출로 본다.

제러미 리프킨은《공감의 문명(*The Empathic Civilization*)》(한국어판 제목은《공감의 시대》)에서 갓난아기들이 다른 아기의 울음소리에 반응하는 것을 "공감하는 성향이 인간의 생물학적 구조에 내재된 증거"라고 설명한다. 아기는 18개월에서 2년 반 사이에 남과 자신을 구분하는 법을 배우는데, 그 이후에도 타인의 고통을 나의 고통처럼 받아들이게 된다. 어린이가 우는 아기를 안아주거나 장난감을 갖다 주며 달래는 모습을 본 적이 있을 것이다. 리프킨은 이를 '공감의 확장'이라 부른다.

코흘리개조차 남의 고통에 얼굴을 찡그릴 줄 아는데, 어떻게 우리는 남의 고통에 아랑곳하지 않는 존재로 자라났을까? 리프킨의 책이 그에 대한 답을 준다.

> 공감의식이 아동기, 청소년기, 성인기를 거쳐 얼마나 발달하고, 넓어지고, 깊어지는가는 부모가 초기부터 아이를 어떻게 기르느냐에 달려 있다. 아울러 그 아이가 태어나 습득하게 되는 문화권의 가치관과 세계관에 의해서도 결정된다.
>
> _제러미 리프킨,《공감의 문명》, 7쪽

그렇다. 부모와 사회가 멀쩡하게 태어난 아이들을 '불공감증' 환자로 만들고 있다. 고통받는 사람과 함께 아파하기는커녕 그들의 고통을 이용해 제 잇속을 챙기는 존재로 말이다. 그게 정확히 한국 사회가 몰락하고 있는 이유다. '남이 살아야 나도 산다' 는 본능적 이타심마저 지워버린 채, 그 속에 '경쟁체제' 라는 이름으로 합리화된 탐욕을 채워 넣은 덕분에 벌어진 일이다.

애덤 스미스는 '보이지 않는 손' 이라는 시장원리를 제안해 '자본주의의 아버지' 라 불린다. 그가 만약 살아 있다면 한국 사회를 어떻게 바라볼까? 그는 《도덕감정론(*The Theory of Moral Sentiments*)》의 첫 장 첫 문장에 이렇게 쓴 바 있다.

> 인간을 아무리 이기적 존재로 가정하더라도 인간의 본성에는 내재된 원리가 있다. 그로 인해 다른 사람의 운명에 관심을 갖고, 다른 사람의 행복을 자신에게 꼭 필요한 요소로 삼게 된다. 비록 다른 이의 행복을 지켜보는 기쁨 이외에 아무것도 얻지 못하더라도 말이다.
>
> _ 애덤 스미스, 《도덕감정론》 1부 1장 1편, 4쪽

아마 스미스는 "경쟁체제만이 살 길" 이라며 걸핏하면 자신의 이름을 들먹이는 한국 사회를 수치스럽게 여길 것이다. 그렇다면 대체 인간의 본능과도 거리가 멀고 '자본주의의 아버지' 의 가르침과도 거리가 먼 야만을 우리는 어디서 배운 것일까?

많은 이들이 한국 사회의 모습에 좌절하고 절망하고 있다. 그중 일부는 선거 때마다 두고 보자며 벼르기도 한다. 착각하지 말자. 우리 사회에 만연한 야만의 모습은 지도자를 갈아치운다고 해결되지 않는다. 우리의 비인간적 탐욕이 비인간적이고 탐욕스러운 지도자를 고른 것뿐이다.

권력은 우리 문제의 일부에 지나지 않는다. 차기 대선에서 더 유능하고 도덕적이고 교양 있는 지도자를 뽑는다고 해서, 아파트 주민들이 환하게 웃으며 배달원을 승강기로 안내하지는 않을 것이다. 개인이 바뀌지 않는 한, 사회구조의 문제도 바뀌지 않는다. 하지만 그렇기에 희망이 있다. 사회구조를 바꾸는 것은 한 개인이 할 수 없는 일이지만, 자신의 태도를 바꾸는 것은 누구나 할 수 있는 일이기 때문이다.

배달원들을 동정하라거나 억지로 친절을 베풀라고 말하는 게 아니다. 그들의 생존이 당신의 생존이라고 말하고 있는 것이다. 그들의 행복이 곧 당신의 행복이라고 말하고 있는 것이다. 우리가 이 사회에서 무엇을 배웠고 당신이 자식에게 무엇을 가르치고 있든, 그게 우리의 운명이고 우리 본연의 모습이다.

'사회적 본능'을 되찾는 것만이 한국이 몰락을 피할 수 있는 유일한 길이다. 파업 중인 노동자가 있다면 '불편'을 이유로 파업 노동자를 서둘러 비난하지 마라. 지지하지는 않더라도 최소한 그들이 왜 파업을 하는가를 알려고 노력하라. 당신의 삶이 절박해질 때, 남들이 당신 목소리에 귀 기울여주길 바란다면 말이다.

식당 종업원, 판매원, 배달원들에게 마땅한 감사와 존경심을 보이는 것부터 시작하자. 그들의 사소한 실수를 눈감아주고, 그들의 수고에 진정으로 감사하자. 고용주에게 전화를 걸어 불평하기보다 그들을 칭찬하고 더 나은 처우를 당부하도록 하자.

당신의 허기를 재빨리 채워주는 패스트푸드점 직원들은 그만큼 빠른 속도로 일해야 하고, 배달원은 당신이 주문한 음식의 온기를 잃지 않기 위해 오토바이를 몰다가 온기 없는 시신으로 부모를 맞기도 한다. 그런 수고를 하는 사람들에게 마땅한 감사와 존경을 보이면, 그들도 당신을 아끼는 마음으로 음식을 만들고 날라줄 것이다. 살 만한 세상이 별건가.

네 꿈이 이루어져야 내 꿈도 이루어진다

2012년 5월, 하버드 경영대학원의 마이클 노턴 교수는 '돈으로 행복을 사는 법' 이라는 강연으로 많은 화제를 불러 모았다. 이 강연은 노턴이 공동 저자로 참여했던 2008년《사이언스》논문을 토대로 한 것이다. 돈으로 행복을 살 수 있다니, 부자와 부자가 되길 소망하는 사람들은 귀가 솔깃해질 만하다.

연구자들은 다양한 소득 수준과 소비 성향을 지닌 632명의 미국인들을 대상으로 설문조사를 했다. 얼마나 벌고 어떻게 쓰는지, 그리고 이런 소비 행태가 개인의 행복감에 어떤 영향을 미치는지 보기 위해서다. 여기서 연구자들은 소비를 두 가지로 나눴다. 첫 번째는 '개인적 소비'로 청구서 비용을 내거나 자신이 필요한 물건을 사는 것이고, 두 번째는 '사회적 소비'로 남에게 줄 물건을 사거나 기부하는 것이다.

조사 결과는 아주 흥미로웠다. 타인을 위해 돈을 쓰는 '사회적 소비' 지출이 많은 사람들일수록 행복감이 높았기 때문이다. 반면에 '개인적 소비'와 행복지수 사이에는 유의미한 상관관계가 발견되지 않았다.

연구자들은 이 예비조사를 토대로 다시 두 가지 실험을 했다. 하나는 보너스를 받은 직장인들이 그 돈을 어떻게 쓸 때 더 행복해지는지, 다른 하나는 공돈이 생겼을 때 어떻게 쓰면 더 행복해지는지를 살펴보는 것이었다.

그 결과 보너스의 경우도 '사회적 소비'에 지출한 사람들일수록 행복감이 높았다. 보너스가 지급된 후 6~8주 후 지출 용도와 행복감을 측정했더니, 남을 위해 돈을 쓴 사람일수록 행복하다는 사실이 밝혀졌다. 이때 '얼마나 받았는지'보다 '어떻게 썼는지'가 행복감에 더 큰 영향을 미치고 있었다.

연구자들은 돈의 소비와 행복감 사이의 직접적인 인과관계도 살폈다. 사람들을 아침에 불러 행복지수를 측정한 뒤 돈을 나눠주어 쓰게 한 다음, 저녁에 다시 행복지수를 측정한 것이다. 참여자들은 각각 5달러 또는 20달러가 든 봉투를 받았다. 그중 절반에게는 그 돈을 자신을 위해 쓰도록 했고, 나머지 절반에게는 남을 위해 쓰라고 했다. 이 연구에서도 같은 결과가 나타났다. 돈의 크기와 상관없이 남을 위해 쓴 사람이 훨씬 더 큰 기쁨을 얻은 것이다.

이 연구는 과거와 비할 수 없을 만큼 소득이 늘었으나 국민은 오히려 더 불행해진 한국 사회에 많은 교훈을 준다. 한국갤럽은 1992년과 2010년 사이의 소득 변화와 행복지수 사이에 어떤 관계가 있는지를 조사했다. 이 시기에 1인당 국민소득은 세 배나 커졌으나, 행복감을 느끼는 사람은 오히려 10%나 줄었다. 같은 시기에 하루 평균 자살자는 9.9명에서 42.6명으로 무려 네 배 이상 늘었다.

우리는 지금 '우리의 꿈' 대신 '내 꿈' 만을 좇은 결과를 목격하고 있다. 자신만을 챙기고 자신만을 위해 돈을 쓰는 것이 현명하다고 믿어온 결과이다. 한국 사회는 '우리의 꿈' 을 말하면 '포퓰리즘' 이고 '좌파' 며, 무엇보다 정상이 아니라고 가르쳐왔다. 정부, 기업, 학교, 그리고 가정마저 그렇게 가르쳐왔다.

그러나 《사이언스》 논문이 보여주듯 사람은 남의 행복에서 행복을 얻는 존재다. 《사이언스》 연구를 믿기 어렵다면 아인슈타인에게도 물어보라.

"우리는 타인을 위해 존재한다. 사람은 다른 이의 미소와 안녕에서 행복감을 느끼는 존재이기 때문이다."

그렇다. 우리는 그런 존재다. 알지 못하는 미지의 타인이 짓는 미소 속에서 행복감을 느끼는 존재. 우리가 불행한 이유는 그 본연의 모습을 잃었기 때문이다. 우리가 만들어가야 할 것은 '내 꿈이 이루어지는 나라' 가 아니라 '네 꿈이 이루어지는 나라' 다. 그래야만 우리 모두가 행복할 수 있다. 행복한 '우리' 속에서만 '나' 도 진정으로 행복할 수 있다.

망가뜨린 것
모른 척한 것
바꿔야 할 것

한국 사회의 변화를 갈망하는 당신에게

1판 1쇄 펴낸날 | 2012년 11월 12일
1판 2쇄 펴낸날 | 2012년 12월 24일

지은이 | 강인규
펴낸이 | 오연호
편집주간 | 이한기
기획편집 | 서정은
책임편집 | 차경희
마케팅 | 정현민
교정 | 김인숙·김성천
디자인 | 공중정원 박진범
용지 | 타라유통
인쇄 | 천일문화사

펴낸곳 | 오마이북
등록 | 제313-2010-94호 2010년 3월 29일
주소 | 서울시 마포구 상암동 1605 누리꿈스퀘어 비즈니스타워 18층 (121-270)
전화 | 02-733-5505 팩스 | 02-733-5077
www.ohmynews.com book@ohmynews.com

ISBN 978-89-97780-03-7 03300

오마이북은 오마이뉴스에서 만드는 책입니다.